CINÉMA D'AFRIQUE NOIRE FRANCOPHONE

André GARDIES

Cinéma d'Afrique noire francophone

l'espace-miroir

Editions L'Harmattan
5-7, rue de l'Ecole-Polytechnique
75005 Paris

Du même auteur

Alain Robbe-Grillet, Paris, Seghers, « Cinéma d'aujourd'hui », 1972.

Approche du récit filmique, Paris, Albatros, 1980.

Le cinéma de Robbe-Grillet, Paris, Albatros, 1983.

(avec Pierre Haffner) *Regards sur le cinéma négro-africain,* Bruxelles, OCIC, 1988.

Direction d'ouvrages collectifs

« Cinéma et littérature » in *Cahiers du XXᵉ siècle,* n° 9, Paris, Klincksieck, 1978.

(avec D. Chateau et F. Jost) : *Cinémas de la modernité : films théories,* Paris, Klincksieck, 1981.

Description et analyse filmique : Touki-Bouki, Abidjan, CERAV, Université Nationale, 1982.

© L'Harmattan, 1989
ISBN : 2-7384-0207-0

REMERCIEMENTS

Nous tenons à remercier toutes les personnes dont l'aide nous a été précieuse dans l'élaboration de ce travail. Plus particulièrement Madame Marie-Claire Ropars-Wuilleumier dont l'écoute et la relance critique furent si utiles ; Christian Metz et Roger Odin pour leurs remarques judicieuses ; Pierre Haffner et Madame Youssouf Ould Brahim enfin, pour leur aide matérielle et leurs informations.

L'ESPACE PERDU ET RECHERCHÉ

Sur le rapprochement de deux remarques, pourtant sans grand rapport l'une avec l'autre, pourrait s'engager la réflexion. La première, banale, est depuis longtemps admise : s'il est né un peu avant, le cinéma d'Afrique noire francophone[1] n'a commencé sa véritable croissance que sous les « Soleils des Indépendances ». La seconde, moins répandue, se fonde sur un constat : entre *Afrique sur Seine*[2] et *Djeli* (mais d'autres titres ici pourraient apparaître) s'inscrit une différence considérable qui ne tient ni au propos, ni à la qualité technique.

Dans l'un la représentation iconique de l'Afrique est quasi absente, dans l'autre elle est omniprésente. Au moment où le cinéma négro-africain accède à l'existence, l'Afrique (en tant qu'espace géographique de référence) n'est présente à l'écran que sous la forme d'un plan

---

1. Que l'on désignera par le sigle CNA (cinéma négro-africain).

2. CM réalisé par Mamadou Sarr, Jacques Mélo Kane, Robert Caristan et Paulin Vieyra en 1954. C'est le premier film du cinéma d'Afrique noire francophone (pour plus de précisions historiques on pourra se reporter à l'ouvrage de Paulin Vieyra *Le cinéma africain*, Présence Africaine (1974). Par ailleurs précisons que les références filmographiques (dates, nom d'auteur, pays producteur, etc.) sont regroupées en fin d'ouvrage dans un index alphabétique des films cités.

d'eau dans lequel, heureux et joyeux, se baignent des enfants. Le continent-mère n'a pas encore droit d'écran. Vingt-six ans plus tard, *Djeli* inscrit sa fiction au cœur d'un village pour en suivre la vie quotidienne avec un regard attentif, amoureux, un véritable regard de l'intérieur. L'indépendance ivoirienne a alors tout juste vingt ans passés. Une hypothèse ne manque pas de surgir : la réappropriation territoriale qu'instaurent, au début des années soixante, les nouvelles souverainetés nationales ne s'accompagne-t-elle pas, au cinéma, d'un réinvestissement spatial qui serait à l'image de celle-ci ? L'histoire du CNA ne pourrait-elle se lire dans cette perspective ?

Cependant, en admettant que cette idée soit séduisante, elle se heurte à une difficulté majeure, celle-là même qui tient aux caractères propres à l'histoire de ce cinéma[3]. Si depuis plus de vingt-cinq ans existent de nouvelles nations découpées sur le continent africain, il n'existe pas pour autant de véritables cinémas nationaux leur correspondant. La production, à l'exception peut-être du Sénégal[4], est quantitativement trop faible, trop sporadique et aléatoire, pour que des lignes de forces puissent en être dégagées avec une assurance historique suffisante. De plus, le développement suivant les pays offre trop d'inégalités et de disparités. Entre les productions du Bénin (*a fortiori* du Togo ou du Tchad) et du Sénégal, les distorsions l'emportent de très loin sur les conjonctions. Peut-on alors envisager dans une stricte perspective historique une plus vaste unité, celle d'un cinéma d'Afrique noire francophone ? Ce serait supposer une sorte de mouvement unitaire inscrit de manière relativement homogène dans la diachronie[5]. Or, à ce

---

3. Dans la perspective (amorcée au Colloque de Cerisy sur les nouvelles approches historiques du cinéma, dirigé par J. Aumont, A. Gaudreault et M. Marie, 1985, actes à paraître) d'une réévaluation des méthodes d'approche de l'histoire du cinéma, il semble que le CNA pourrait constituer un bon objet d'interrogation. L'ouvrage de Vieyra, pour intéressant qu'il soit, s'inscrit dans une démarche traditionnelle teintée d'empirisme.

4. On se réfère naturellement à notre corpus, car il existe bel et bien un cinéma égyptien, par exemple, ou algérien, mais tout en appartenant au cinéma africain ils sortent de notre corpus.

5. Inspiré de la linguistique, ce terme (qui s'oppose à la synchro-

niveau, ressurgissent les clivages nationaux. Les diachronies « cinématographiques » du Mali et du Gabon, par exemple, n'ont guère de convergences. S'il y a une unité, elle sera à chercher ailleurs.

Cependant la production cinématographique de cet ensemble laisse apparaître, en dépit des difficultés à l'établir historiquement, une évolution assez sensible dans les modalités de représentation de l'espace africain. Tout se passe comme si à l'écran, mais en creux, en filigrane, se lisait la lente et parfois difficile reconquête du territoire que connaissent bien des pays de ce groupe. L'on sait que les découpages frontaliers laissés par les colonisateurs sont à l'origine de graves problèmes politiques. Ne correspondant guère aux tracés territoriaux anciens, regroupant parfois, sous l'égide d'une nation créée de toutes pièces, des antagonismes ethniques, ces découpages géo-politiques obligent à une cohabitation difficile, contraignent les peuples à un nouvel apprentissage de l'espace. Qu'on ajoute à cela les phénomènes d'acculturation, les transformations économiques, les conflits de pouvoir, et l'on comprendra que le « réenracinement » s'inscrive dans un devenir historique encore aléatoire. Etat, nation, patrie sont des concepts qui ne vont pas toujours de soi sur ce continent. L'espace africain affiche encore de grandes zones de turbulences. Précisément cette quête, cette reconquête, cette lente et difficile réappropriation, se lisent d'une certaine façon à travers la production cinématographique.

Néanmoins, la relation ne saurait être perçue de manière trop simpliste. Pour les raisons déjà évoquées, il serait pour le moins caricatural d'imaginer que les films de tel ou tel pays reflètent fidèlement, dans un parallélisme diachronique constant, les diverses étapes et mouvances de la réappropriation territoriale. Néanmoins, des similitudes et des points de convergence sont empiriquement lisibles. Il reviendrait à des historiens du cinéma le soin de valider ou non ce qui n'est ici qu'une mise en parallèle hypothétique.

---

nie) indique que l'évolution des faits est envisagée suivant le déroulement temporel, dans une perspective historique.

En revanche, qu'une évolution soit nettement perceptible dans l'ensemble du CNA ne fait aucun doute. Quatre phases se dessinent.

Au cours de la première, les représentations iconiques[6] de l'Afrique, concurrencées par celles de la France ou de l'Europe, s'imposent difficilement ; l'espace du colonisateur est encore majoritairement présent. La seconde se place sous le signe du clivage : un double espace, le plus souvent conflictuel et traumatisant, organise structurellement les films ou modèle le sujet-héros. La troisième, plus riche, particulièrement en raison de la diversité des voies qu'elle parcourt, explore l'espace présent de l'Afrique, soit dans ses contradictions, soit dans son unité réelle ou postulée. La quatrième enfin réinscrit l'espace dans sa dimension historique en enjambant la période coloniale pour retrouver la signification et les valeurs perdues d'une Afrique ancestrale[7].

Sommairement esquissées, ces phases ne sauraient non plus constituer un parcours régulier, nettement balisé ; néanmoins, au-delà des fluctuations perturbatrices, elles rendent compte d'une évolution réelle. Examinée à la lumière des cinématographies nationales, celle-ci s'indique avec netteté bien qu'elle progresse de façon assez cahotique. En témoignent, par exemple, la Côte-d'Ivoire et le Niger.

Si l'on excepte l'émission de Georges Keita pour la télévision nationale (*Korogo*, 1964), les premières images ivoiriennes sont en fait parisiennes avec *Concerto pour un exil* (1967) de Désiré Ecaré. L'Afrique en tant qu'espace de référence n'est présente que dans le verbal, voire le musical. La similitude avec *Afrique sur Seine*

---

6. Rappelons que par « iconique » on désigne le rapport de ressemblance existant entre le signe et son référent : l'image d'un objet entretient des traits de similitude avec l'objet lui-même. Cette ressemblance, pour ce qui concerne le cinéma, s'applique aussi bien au signe visuel qu'au signe sonore (l'enregistrement d'un bruit de pas ressemble au bruit du pas lui-même).

7. D'une certaine manière quelque analogie s'esquisse ici avec la littérature négro-africaine dont les historiens ont mis en évidence, à propos des écrivains de la première, de la deuxième, etc., génération, le développement par paliers correspondant à des thèmes et « sujets » différents.

est nette. La seconde étape s'inscrit dans *la Femme au couteau* (1968) avec son héros profondément marqué par le déchirement culturel. Bien qu'habitant et vivant dans la capitale ivoirienne, il appartient en même temps à l'espace culturel occidental dont il affiche plusieurs traits marquants. D'une certaine manière c'est encore le même dédoublement spatial qui se donne à lire dans *A nous deux France* (1970). Avec *Abusuan, Hold-up à Kossou* et *Amanié* (tous les trois de 1972) débute une réappropriation de l'espace spécifiquement ivoirien et celle-ci se développera, avec des orientations variables, tout au long de la production ultérieure, jusqu'à *Visages de femmes* (1985) de Désiré Ecaré. Quant à la quatrième étape [présente depuis longtemps au Sénégal avec *Ceddo* (1976)], elle n'a quasiment pas d'existence si l'on excepte la séquence initiale de *Djeli* où le passé pré-colonial fait son apparition. Cette absence d'expansion historique n'est probablement pas dénuée de signification au plan idéologique. Une analyse plus systématique, mais située hors de la sémio-narratologie, établirait sans doute quelque rapport entre cette forme d'amnésie historique et le développement économique, culturel et politique de l'actuelle Côte-d'Ivoire.

A l'inverse, le cinéma nigérien, où pourtant l'influence de Jean Rouch fut si sensible, apparaît comme largement « autocentré ». A l'exception de *Cabascabo* (1968) mettant en scène, à travers le personnage de l'ancien combattant, le douloureux traumatisme (mais comme s'il s'agissait de le liquider) provoqué par l'irruption de l'Occident, la quasi-totalité de la production va parcourir inlassablement l'espace nigérien : mutations post-coloniales lisibles dans l'importance croissante du monde urbain et du fonctionnariat *(FVVA, l'Etoile noire)*, ressourcement par référence à l'oralité et aux contes *(Toula, la Bague du roi Koda, l'Exilé)*, vie quotidienne villageoise *(le Wazzou polygame, Saïtane)*. Ce parcours gagne ensuite en expansion par une prise en compte de l'Histoire et une interrogation sur le passé *(Si les cavaliers,* 1985), au besoin réarticulée de manière conflictuelle sur le présent *(le Médecin de Gafiré,* 1983).

Une sorte d'unité caractérise alors le cinéma du Niger, qui paraît renvoyer à une identité culturelle guère écornée par le colonisateur, comme si les empreintes de ce dernier avaient été rapidement recouvertes par les sables de la tradition.

Cinématographies ivoirienne et nigérienne accusent de sensibles différences ; néanmoins toutes les deux réunies, compte tenu de leur spécificité, retracent les quatre phases essentielles.

En cela elles sont représentatives du CNA considéré comme un ensemble. Depuis *Afrique-sur-Seine*, en dépit des décalages diachroniques (imputables le plus souvent aux conditions de production-distribution), des cheminements plus ou moins singuliers propres au contexte socio-historique, le CNA affiche une nette évolution dans son appropriation de l'espace africain, suivant un mouvement frappé d'une certaine irréversibilité. Même si les diverses phases peuvent accuser, d'un pays à l'autre, de sensibles décalages, même si certaines sont absentes de telle ou telle cinématographie particulière, on constate que l'ordre dans lequel elles apparaissent n'est jamais inversé. De plus, s'il arrive que la thématique propre à la première phase fasse retour longtemps après que d'autres se soient développées, ce sera dans une perspective différente. Ainsi *l'Homme d'ailleurs* de Mory Traoré (1981) reprend quatorze ans plus tard le thème développé dans *Concerto pour un exil*, mais en fonction d'une situation nouvelle : le héros africain n'est plus confronté à la société européenne, mais à l'espace social du Japon. Le mouvement général d'appropriation tend vers une croissante expansion, comme si le CNA, à sa manière, sur une autre scène, disait la reconquête territoriale et ses difficultés.

Faut-il voir là le résultat de l'option réaliste adoptée par ce cinéma ? Cinéastes et critiques, dans leurs déclarations comme dans leurs analyses, revendiquent ou soulignent, avec une quasi-unanimité, la volonté de filmer les réalités africaines[8]. L'influence du néo-réalisme italien sur Sembène Ousmane appartient déjà au consen-

---

8. On pourra à ce propos consulter « Cinéastes d'Afrique noire », numéro spécial d'*Afrique littéraire et artistique* (n° 49), dirigé par G. Hennebelle et C. Ruelle. Les déclarations des cinéastes sont, sur ce point, parfaitement convergentes et unanimes.

sus journalistique[9]. En outre, cette option s'accompagne d'une fonction didactique, elle aussi maintes fois proclamée, tournée vers les masses populaires. Le cinéma ne serait-il pas appelé à jouer le rôle de l'école du soir, selon l'idée de Sembène Ousmane ? Toutefois, et sans que cela soit incompatible avec ces objectifs avoués et reconnus, le CNA nous semble, en fait, procéder d'une autre stratégie globale (d'une autre idéologie ?), celle du cinéma-miroir avec sa double fonctionnalité. D'abord, dans sa volonté de décoloniser les écrans, il proposera des images prélevées sur l'espace africain ; ensuite il tendra cet écran-miroir au public afin qu'il retrouve et contemple sa propre image, afin qu'il se reconnaisse à travers le processus d'identification ainsi mis en place : miroir-adjuvant dans la quête de l'identité culturelle. En ce sens il s'agit moins pour le CNA de se poser en reflet du réel (réalisme dans sa plus simple acception) que de construire une image de l'Afrique, que de produire des symboles charismatiques[10].

Dès lors on comprend que la première entreprise fut de réappropriation spatiale. Pouvoir montrer des images de « chez soi », n'est-ce pas un signe d'indépendance ? Le cinéma québécois ne fit rien d'autre : avec *Pour la suite du monde* de Pierre Perrault, il faisait entendre, à partir d'images de « chez nous autres », une voix singulière qui disait l'authenticité d'un peuple depuis longtemps coincé entre l'Américain du Nord et le Français de France. Montrer c'est ici exister. Et l'on comprend que le « montrer » puisse parfois l'emporter sur le « raconter ».

Que le CNA, ainsi que le regret en fut à maintes reprises exprimé, n'ait guère proposé de films d'action à son public, pourtant si réceptif en ce domaine, ne sau-

9. Sur ce point on pourra consulter trois ouvrages ; l'un plus ancien : *Sembène Ousmane cinéaste* de Paulin Vieyra (Présence Africaine, 1972), les deux autres plus récents : *The cinema of Ousmane Sembène* (Londres, Greenwood press, 1984) de Françoise Pfaff, « Sembène Ousmane », *Cinémaction*, n° 34, 1985.

10. Sur cette volonté de construire une certaine image du monde et la volonté pour de nombreux cinéastes de se conduire en guides éclairés on se reportera à la thèse de Pierre Haffner : « Le cinéma et l'imaginaire en Afrique noire », Paris X, 1986. A paraître.

rait étonner outre mesure : en montrant des gens, des lieux, des gestes, des paysages urbains et ruraux, il était déjà action[11] puisque par ce geste il affirmait son existence. Ce qui, du côté de l'Occident, allait de soi — parler de soi — était ici à conquérir, car la colonisation fut tout à la fois un acte de dépossession spatiale et de perte d'identité.

Du côté de l'Afrique noire francophone, il s'est agi d'abord de se donner à voir à soi-même : acte premier et instaurateur sans lequel les autres ne sont rien. Mais les poètes nous ont avertis depuis longtemps : le miroir est un objet magique ; tout aussi bifide que la langue, il ment et il dit vrai. L'image que je contemple en son cadre est peut-être moins celle que je vois que celle que je souhaite voir. Le « vouloir-montrer-vrai », si fortement revendiqué par la majorité des cinéastes africains, ne saurait être pris pour argent comptant. S'il dit, sans conteste, la nécessité du « montrer » (comme geste fondateur, comme acte d'affirmation et de revendication), il ne peut échapper à l'ambivalence du miroir.

Et ce double désir de monstration et de vérité ne va pas sans conséquences au plan narratologique. L'acte du raconter par quoi se définit majoritairement le cinéma de fiction négro-africain, puise nombre de ses caractéristiques dans sa posture stratégique : il produit peut-être moins des films qu'il ne construit un spectateur.

Pour cela il le met en scène, en le cadrant au centre de l'écran-miroir. Le héros du cinéma africain, sujet individuel ou sujet collectif, relève prioritairement de l'ordinaire condition humaine, même si, par ailleurs, Bruce Lee passionne le public au point de provoquer d'étonnants et inquiétants mimétismes, chez les plus jeunes en particulier. Influence du néo-réalisme italien, dira-t-on encore ? L'origine est ailleurs. Les héros, en tant que figures individuelles, plus ou moins exceptionnelles, en tant que vecteurs de programmes actionnels auxquels sont subordonnés et les autres personnages et l'organisation du scénario, n'intéressent guère, semble-t-il, le CNA ; l'intéressent infiniment plus les rapports de

---

11. Il y aurait donc une fonction « pragmatique » inhérente à ce cinéma, et caractéristique.

l'homme à son milieu. Ville ou village, quartiers riches ou bidonvilles, espaces de travail ou de loisirs, grandes réunions communautaires ou relations individuelles, lieux domestiques et familiaux ouverts sur l'extérieur ou, plus rarement, isolés, l'histoire qui se dit en filigrane est tout à la fois celle du quotidien et celle de l'homme ordinaire dans son habitat, privé ou public.

En ce sens Tahar Cheriaa a raison lorsqu'il dit que « le personnage principal des films africains est toujours le groupe, la collectivité »[12], cependant moins parce que le groupe s'oppose ici à l'individu que parce qu'il ne peut exister sans définir son territoire. Au centre du miroir, donc, l'homme de chaque jour, l'homme dans son rapport à l'espace quotidien. Ce dernier, s'il ne peut à proprement parler équivaloir au héros, apparaît néanmoins comme une composante majeure et spécifique de ce cinéma.

Il sera donc montré dans la diversité de ses facettes, sera objet de regards attentifs, sera proposé au spectateur comme scène à la fois réelle et imaginaire. Cependant l'écran-miroir ne se contente pas de refléter des images ; il les élabore aussi, et, ce faisant, par le jeu des réitérations thématiques, par le retour de constantes aisément perceptibles, il ne manque pas de produire divers stéréotypes qui seront autant de figures constitutives d'un imaginaire collectif. Dans son souci de monstration, le CNA entreprend en fait une véritable quête de l'espace référentiel, expression qu'il faut entendre, ici, comme le désir obstiné de faire référence à un espace réel ou postulé.

En retour, cette quête engage des modalités narratives singulières : le raconter paye un fort tribut au montrer. De façon quelque peu simplificatrice, on peut se demander si le CNA n'inverse pas le processus dominant du cinéma classique occidental : au lieu de montrer pour raconter, il tendrait à raconter pour montrer, pour donner à voir. De là découle un certain nombre de caractéristiques, tant au niveau des composantes que des structures narratives : plus que le temps, c'est le para-

---

12. In *Camera nigra*, « Le groupe et le héros », OCIC/L'Harmatan, p. 109.

mètre spatial qui paraît devoir y jouer le premier rôle.

Quête de l'espace référentiel, organisation narrative répondant au désir de monstration, le CNA explore dans ses films la fonction spéculaire. Par là il institue entre son spectateur et lui un rapport singulier qui fait du destinataire le partenaire privilégié. En favorisant le processus d'identification, en jouant sur les modalités d'énonciation et de focalisation, il inscrit le spectateur dans un espace de communication chargé de faire de celui-là un sujet non plus « tout-percevant »[13], mais un sujet « tout-voyant » et omniscient.

A l'avènement des Indépendances, de nouveaux découpages s'inscrivirent sur la carte du continent africain. Une longue quête de réappropriation spatiale commençait, dont le CNA, né au même moment, allait se faire l'écho à sa manière. Il ne le raconte pas, mais il l'inscrit dans ses images, dans ses structures narratives, dans ses modalités d'énonciation. D'objet qu'elle aurait pu être, cette quête deviendra sujet de ce discours qu'en filigrane l'espace tient dans l'ensemble de la production négro-africaine francophone, et dont il fonde assurément la singularité.

---

13. L'expression est de Christian Metz (*Le signifiant imaginaire*, UGE, 10/18, 1977).

L'APPROPRIATION FIGURATIVE DE L'ESPACE

Alors que les premières images de fiction se lèvent à l'horizon du CNA, un film va symboliquement raconter, sous son histoire immédiate et explicite, une autre histoire, à venir elle, qui parle de l'homme et de sa relation difficultueuse à l'espace, il s'agit de *Borom Sarret*[1]. On en connaît le synopsis : la journée et les déboires d'un charretier qui, victime d'un petit escroc et d'un agent de police, rentrera le soir à la maison, sans argent et sans carriole. Sans qu'il se donne pour tel, ce film-avènement est aussi un film-programme : près de deux décennies de CNA y sont comme annoncées. L'interrogation centrale et quasi permanente qui perdurera à travers la diversité des sujets et des thèmes, celle de l'homme et de son milieu, s'y trouve contenue sous ses deux aspects majeurs : le clivage et la quête.

Dans l'exercice de sa profession, le charretier est amené à circuler à travers la ville, mais pour lui il existe deux villes, l'une autorisée, l'autre (le « Plateau ») interdite. Ce double espace, à l'antagonisme fortement marqué, organise structurellement le film : en pénétrant dans la zone interdite Borom Sarret joue et perd. Ayant dû

---

1. CM, N et B, Sembène Ousmane. Prix de la première œuvre au Festival de Tours, 1963.

abandonner sa carriole, c'est de son identité sociale et de son gagne-pain qu'il est dépouillé.

Pareil modèle structurel du double espace, aux valeurs antagonistes et quasi irréconciliables, sera à la base d'un très grand nombre de films ultérieurs : écartèlement de l'homme africain entre l'Occident et le continent-mère, entre la modernité et la tradition, telles en seront les actualisations narratives et thématiques les plus courantes.

Sous l'ordre chronologique des événements et épreuves (depuis le matin jusqu'au soir, aucune anachronie — au sens de Genette[2] — dans le déroulement de la journée) se lit en fait un itinéraire. Les divers lieux parcourus ainsi que les diverses personnes rencontrées, à la fois, marquent les étapes d'un parcours et obéissent aux règles d'un trajet. Le quartier indigène, le marché, la maternité, le cimetière, le Plateau, d'une part, les trois « habitués », l'homme aux parpaings, la femme enceinte, l'homme à l'enfant mort, le fonctionnaire et l'agent de police, d'autre part, énumèrent les diverses composantes du parcours quotidien ; par ailleurs, l'ordre dans lequel celles-ci sont disposées indique clairement l'effet de vectorisation : tout conduit Borom Sarret vers l'épreuve majeure, celle de l'affrontement avec le policier ; une trajectoire inéluctable le pousse vers la rencontre fatale.

Si cet agencement répond à des nécessités dramatiques évidentes, il donne à lire en même temps autre chose ; une exploration des lieux d'abord, la diversité des rapports entre ces lieux et leurs utilisateurs ensuite. Se dessine alors une quête de l'appropriation de l'espace. Celle-là même qu'à partir des années 70 le CNA développera dans de multiples directions.

Cependant, objectera-t-on, cette quête se solde par un échec puisque Borom Sarret, d'une part, est exclu du Plateau et que, d'autre part, au terme de son itinéraire il se trouve plus démuni et désemparé qu'avant. Mais le film date de 1963, l'indépendance n'a pas encore trois ans, le CNA vient à peine de naître. Dès lors, dans cet

---

2. « ... les différentes formes de discordance entre l'ordre de l'histoire et celui du récit ». *Figures III, op. cit.,* p. 79.

échec de Borom Sarret, dans cette quête achevée sur le dénuement et l'exclusion, ne faut-il pas voir l'annonce en creux du programme à remplir pour les films futurs ? Ne s'agit-il pas de repartir à la conquête de l'espace africain en le faisant exister sur les écrans, en lui donnant la possibilité d'accéder à la figuration et au sens ?

Le fait même de poser la question indique que ce geste, si évident et naturel qu'il paraisse du côté de l'Occident, ne va pas de soi. Dans ce contexte, l'image d'un village, qu'un quartier, d'un lieu de fête ou de travail, dès lors qu'elle ne résulte pas du seul regard allogène, dit plus qu'elle ne représente. Elle dit l'acte de réappropriation ; la monstration devient affirmation d'identité[3]. Aussi n'est-il pas indifférent de souligner, sans en tenter l'énumération, la diversité des espaces représentés.

En quelques années, au simple plan d'eau d'*Afrique-sur-Seine* (dont le titre, bien sûr, désigne le clivage et le traumatisme originels) le CNA substituera les images les plus riches et les plus variées. Réalités géographique, socio-économique, culturelle et historique seront inlassablement parcourues. Paysages naturels (du Sahel à la forêt tropicale en passant par la savane, les reliefs montagneux et les fleuves) ou urbanisés (de la grande cité aux petites sous-préfectures en passant par les villages traditionnels), travail agricole (de la rizière à la grande palmeraie), pastoral (vastes troupeaux de bovidés ou présence familière des ovidés domestiques), artisanal (le plus fréquemment présent) ou industriel (déjà à l'horizon de l'écran surgissent les usines), toute une panoplie iconologique se dispose, qui, réduite à cela, pourrait relever de l'imagerie touristique mais que le CNA saura mettre en situation en lui donnant ainsi un autre sens. Car s'ils sont présents, les paysages le sont rarement pour eux-mêmes ; la nature apparaît comme fondamentalement socialisée.

---

3. Sans compter que le coût de fabrication de telles images, le trajet économique qu'elles nécessitent dans un contexte défavorable, en soulignent encore la valeur. On pourra utilement consulter les entretiens recueillis par Pierre Haffner (thèse citée) pour mesurer cet enjeu.

Dans cette perspective l'espace n'est pas un décor, il est le lieu d'exercice de l'activité humaine ; à ce titre sa réalité socio-économique, culturelle et historique prédomine. Activités villageoises et urbaines, avec leurs lieux spécifiques (concessions, champs, marchés, bars, rues, bureaux, etc.), voies de communication, places publiques, lieux de culte, arbres tutélaires des génies, case nocturne du marabout, lavoirs, fontaines et puits, berges de marigots, lagunes et pirogues, de film en film tout un peuple déploie son art de vivre, gère labeurs et plaisirs quotidiens, inscrit ses actes individuels ou collectifs dans un habitat qu'il a patiemment et durablement modelé, fait aussi parfois l'apprentissage de la ville cruelle.

Mais l'image ne suffit pas toujours à combler cette soif de monstration ; elle s'adjoindra l'oreille, moins pour faire entendre le sens des mots que pour donner à écouter les accents d'une langue, les éclats sonores ou graves d'une élocution, pour retrouver dans la matière signifiante les marques vives d'une culture. La musique à son tour va chanter l'espace ; un rythme dira aussi bien la nature d'un rite qu'il affirmera une appartenance ethnique. Les instruments par leur diversité, leur timbre, leurs formes, leur sonorité, sauront composer et désigner une aire culturelle avec ses particularités.

Passée la première décennie où l'espace européen lui fait une forte concurrence, le référent de l'acte monstrateur sera, de manière quasi permanente, l'Afrique sud-sahélienne pour qu'enfin sur l'écran elle ait droit de cité et puisse être vue par ses propres habitants.

Cependant, on le sait, l'écran ne s'ouvre pas directement sur le monde, et au seul régime de la scopie (montrer/regarder) ne saurait se réduire l'acte filmique, car montrer c'est aussi et surtout produire du sens. Certes l'espace représenté, par sa valeur référentielle, fait sens (sinon quel intérêt y aurait-il à lutter pour substituer aux images de l'Occident celles du continent-mère ?) mais le film est aussi un discours qui intègre l'iconique dans un vaste processus d'énonciation. Dans cette perspective, les films narratifs-fictionnels du CNA, considérés comme un ensemble, forment une sorte de supra-discours engagé lui-même dans la diachronie et développant son propre procès énonciatif. C'est donc moins à décrire les figures spatiales qu'à examiner comment le CNA va peu à peu construire une signifiance de l'espace figuratif que l'analyse devra s'attacher.

Parce que le tournage s'effectue le plus souvent (y compris pour les intérieurs) en décors naturels [4], toute prise de vue est aussi un acte de prélèvement sur un réel préexistant. Les images du CNA, à un premier niveau d'iconicité, donnent à voir des fragments de lieux géographiquement attestables. Pour cette raison probablement, l'univers diégétique [5] et son régime imaginaire singulier seront parfois comme déchirés par de brusques échappées vers le référent. Tout spectateur aux yeux de qui ce dernier sera familier pourra en faire l'expérience (à la fois heureuse par son effet de reconnaissance et décalée par rapport au régime diégétique). C'est ce qu'indique, par exemple, Maxime Scheinfeigel à propos du marché dans *Borom Sarret :* « le marché *Sandaga* (non nommé dans le film mais facilement reconnaissable pour qui connaît, même superficiellement, la ville) » [6]. C'est dire que le CNA propose, dans cette première couche d'iconicité, des images d'un espace toujours particulier. Cependant à hauteur de l'univers diégétique, le lieu s'offre le plus souvent dans une figuration à valeur générale. Une première opération régit la conversion du particulier au général : le marché de Sandaga vaut pour le marché africain en général.

Même un regard sommaire sur le CNA note la tendance caractéristique qui est la sienne à accorder aux lieux diégétiques une valeur générale alors qu'ils sont, paradoxalement, au plan référentiel, fortement particularisés. Rares sont les films où le lieu géographique fait l'objet d'une prise en compte pour lui-même (alors que

---

4. Cela pour d'évidentes raisons économiques, redoublées peut-être (mais ce n'est qu'une hypothèse) par des raisons idéologiques articulées sur le désir d'authenticité.

5. Par diégèse il convient d'entendre ce monde imaginaire que le spectateur construit à partir de données filmiques, et dans lequel « vivent » les acteurs de la fable.

6. « La narration de ''Borom Sarret'' ». Mémoire de maîtrise, sous la direction de Michel Marie, DERCAV, Paris III, 1978.

c'est une pratique courante dans le cinéma occidental : combien de films sur Paris, sur New-York ?). *Contrast-City, Kin Kiesse, Fadjal,* sont cependant de ceux-là puisque dès leur titre ils réfèrent à une cité particulière (successivement Dakar, Kinshasa et Fadjal), donnée plus ou moins comme exemplaire. Cependant deux d'entre eux notamment affichent une visée documentaire ; ils se situent donc en marge de la production fictionnelle qui nous intéresse.

A l'inverse, l'espace européen s'inscrit très souvent sur le mode de la particularité : Antibes, dans *la Noire de...*, se lira sur le panneau à l'entrée de la ville ; Paris, la Côte d'Azur, la Riviera, par les mentions écrites comme dans les paroles de la chanson interprétée par Joséphine Baker, font retour régulièrement dans *Touki-Bouki*. L'ailleurs, particulièrement lorsqu'il appartient à l'Europe, se cristallise le plus souvent dans la matière signifiante d'un toponyme qui paraît se charger alors d'une véritable vertu incantatoire.

Diégétisé, l'espace africain, lui, quitte le régime du particulier pour le général. Si les immeubles du Plateau d'Abidjan s'élèvent à l'horizon de *Djeli*, c'est moins pour signifier *cette* ville, ni même *une* ville, que *la* ville, en prenant appui au besoin sur divers stéréotypes. En somme au démonstratif, le CNA préférera majoritairement l'indéfini et surtout le défini généralisant.

De ce point de vue, l'exemple de *Finyé* est révélateur. Sites, rues, bâtiments publics et privés sont aisément reconnaissables comme prélevés sur l'espace réel de Bamako, théâtre évident du filmage. Si bien que le récit de la révolte lycéenne ne manque pas d'être rapporté aux événements politiques que connaît le Mali depuis 1980 sur la question scolaire. Cependant l'espace diégétique tend à lever l'hypothèque de cet ancrage référentiel. L'indexation verbale en particulier évite soigneusement (sauf à l'annonce des résultats du baccalauréat) la mention de lieux géographiques aisément repérables. L'organisation de la fable, surtout, transforme la configuration référentielle. Ainsi le gouverneur militaire est donné comme exerçant ses fonctions loin du pouvoir central (la communication téléphonique avec le ministre de l'Intérieur l'atteste) ; il a sous son contrôle, et par conséquent habite, une région et non pas la capitale. Ces divers décrochements par rapport au réel géo-politique visent, d'une part, à endiguer un trop net effet de mimétisme avec la réalité malienne, d'autre part à renvoyer à des situations génériques (centralisme politique, omniprésence militaire, affrontements sociaux, etc.) et à structurer le film suivant quelques axes sémantiques fondamentaux[7].

Rien que de très ordinaire dans un tel processus, objectera-t-on, et qui n'a rien de spécifiquement négro-africain. Le cinéma occidental connaît aussi cette pratique. Néanmoins elle a ceci de particulier que le procès d'abstraction opère ici à partir d'un réel fort prégnant et qu'il ne craint pas, peut-être pour s'arracher à cet ancrage, sûrement dans un souci tout à la fois d'appropriation et d'exemplarité, de s'engager, ainsi qu'on le détaillera plus loin, sur la voie des stéréotypes.

Dans cette trajectoire du particulier vers le général se lit, de façon exemplaire, une recherche ; comme si le lieu visait toujours à travers sa figuration iconique un au-delà qui serait la présence du sens. Dès lors le désir de représentation spatiale s'accompagne d'une interrogation, d'une tentative de re-connaissance.

Un film à nouveau en offre comme l'image archétypique, à nouveau il est signé Sembène Ousmane : *le Mandat*. Dieng, fidèle musulman et chômeur, reçoit de son neveu, balayeur à Paris, un mandat. Un véritable parcours d'obstacles se développe lorsque Dieng tente d'en encaisser le montant. Les démarches se multiplient, contraignant le vieux à des déplacements infructueux, à des visites parfois fastidieuses, qui se solderont par un échec. Ayant été définitivement escroqué par un cousin, il ne lui reste plus qu'à se faire loup parmi les loups.

Le film s'offre donc sur le modèle de la quête. Dieng quitte son espace·quotidien pour entrer dans un autre

---

7. C'est ce que confirme Souleymane Cissé dans une interview : « Pour l'oppression des étudiants je pense que chacun est informé des différents problèmes qui existent à ce niveau en Afrique, donc je n'ai pas à m'annoncer comme il y a une oppression contre les étudiants au Mali, non ! Qu'on soit ici ou ailleurs ce sont les mêmes problèmes pour les Africains. » Cité par Pierre Haffner, Thèse, p. 412.

univers dont les lois lui sont largement inconnues. Il traverse successivement plusieurs lieux publics (la poste, le commissariat de police, la mairie, la banque, la boutique du photographe) ou privés (la maison de son neveu Amath) dont les référents réels se situent tous, comme pour *Borom Sarret*, à Dakar. Nombre de spectateurs ne s'y trompèrent pas, qui reprochèrent à l'auteur de montrer des images de son pays peu positives. A quoi Sembène Ousmane répondait : « Il existe des bidonvilles au Sénégal /.../ Certains voudraient que pour conserver la légende du Sénégalais bon, honnête et hospitalier, on masque la vérité. On a constaté le même phénomène lors des débuts du néo-réalisme en Italie »[8]. La question de l'iconicité et de sa valeur spéculaire fait à nouveau retour, mais les lieux du *Mandat*, au-delà de leur ancrage référentiel, entrent surtout dans un procès narratif qui est aussi un procès de la signifiance.

Si, à la poste comme à la mairie ou à la banque, Dieng se trouve en état d'échec, c'est en raison des lois particulières en usage dans ces lieux et de l'ignorance du héros. Par rapport au programme narratif de la quête, ces lieux inconnus de Dieng joueront le rôle de l'opposant. Leur fonctionnalité ne se lit plus seulement par rapport à la réalité sociale mais aussi dans une perspective narrative spécifiquement liée au récit en cours. Dès lors que le vieux Dieng se met en route avec un projet à réaliser, il modifie le sens des lieux qu'il traverse.

Le Mandat, par son itinéraire de la quête, met particulièrement en évidence deux conditions fondatrices de l'activité signifiante : l'intégration des lieux dans un système différent de celui dans lequel ils fonctionnent socialement, le rôle du personnage en tant que sujet par rapport à qui se distribuent les valeurs nouvelles suscitées par ce système. Dans sa visée appropriative de l'espace, le CNA exploite d'autant plus aisément ce double processus qu'il favorise aussi le jeu des identifications.

Car les lieux d'un récit, en même temps qu'ils pré-

---

8. Guy Hennebelle, « Ousmane Sembène : pour moi, le cinéma est un moyen d'action politique, mais... », *L'Afrique littéraire et artistique*, n° 7, oct. 1969, p. 80.

sentent une configuration singulière, actualisent diverses relations qui relèvent et de l'ordre spatial et du système narratif. Ils sont porteurs de sens d'origines multiples et s'offrent dans le film comme un véritable texte à lire. L'analyse d'un exemple concret sera ici, probablement, plus convaincante. Parce qu'elle fait l'objet d'un soin particulier, la concession familiale de *Kodou* servira de « référent »[9].

A travers sa configuration physique et iconique se donnent à lire de grands pans de signifiés sociaux. La palissade, la forme des cases, la grande cour sablonneuse intérieure, disent notamment l'appartenance sahélienne et le caractère rural de l'habitat. Par ailleurs, montrée à l'aide de divers procédés (panoramiques, trajet du boulanger, course de l'enfant à l'appel de sa mère), la situation de la concession au milieu du village implique de fortes relations de voisinage. Sous la juridiction des règles sociales propres à la communauté villageoise se place donc l'habitat de Kodou.

Une fois franchie l'enceinte (comme l'illustre l'arrivée de l'étranger), d'autres principes, articulés sur les précédents, prévalent : le domaine privé relève de l'autorité paternelle. L'ordonnancement des convives au moment du repas, l'accueil de l'arrivant, les prises de parole sont autant de signes renvoyant aux codes culturels qui traversent cet espace.

La concession possède donc son propre corps de prescriptions, elles-mêmes articulées sur une pratique sociale référentielle. A ce niveau joue pleinement la fonction spéculaire du lieu. Il renvoie au spectateur une image de sa propre dimension culturelle. Dès lors que l'habitat n'est plus un simple décor mais une entité iconique porteuse de valeurs reconnaissables, l'identification peut se déployer en même temps que se développe la participation émotionnelle à la narration.

En effet pour le spectateur familier de ces composantes culturelles, le lieu est susceptible d'intervenir dans

---

9. Le film raconte l'histoire d'une fille devenue folle à la suite de son propre échec lors d'une cérémonie de tatouage. Dès le début du film on la voit enfermée ou isolée dans une case ou attachée au pied d'un arbre, au centre de la concession.

le récit comme un rôle thématique : il dessine un horizon d'attente spectatoriel. Ainsi voir Kodou attachée à l'arbre central n'a rien de surprenant sitôt que l'on se réfère au système des prescriptions : puisque la jeune fille, par un acte public hors de la concession, a fait retomber la honte sur sa famille, celle-ci a le droit de « retirer » Kodou de l'échange villageois en l'enfermant dans un lieu placé sous son autorité. Si l'étranger souhaite conduire la malade à l'hôpital, il ne peut introduire sa requête qu'auprès des parents détenteurs du pouvoir de décision. La logique actionnelle du récit ainsi que le régime du vraisemblable sont régis par un horizon d'attente inscrit dans le lieu. Au reste cette fonction de rôle thématique apparaît de manière plus manifeste encore avec l'hôpital. Le faire attendu par le spectateur sera un faire curatif, manifesté par une succession plus ou moins prévisible de soins.

A partir du lieu, défini comme actualisation de prescriptions et de relations spatiales, se développent la fonction spéculaire — dès lors que le spectateur reconnaît son propre mode d'investissement locatif — et, greffée sur elle, l'implication diégétique, puisque la reconnaissance dessine des horizons d'attente. A ce double mouvement s'alimente l'identification spectatorielle.

Cependant, tout investi de valeurs qu'il soit, le lieu (en tant que composante filmo-narrative) ne peut les rendre fonctionnelles sans la présence d'un sujet par rapport à qui elles prennent sens. C'est là ce que nous avons appelé ailleurs [10] l'effet « Belle au bois dormant ». Par son faire, le personnage fait surgir, dans le champ du drame, ce qui jusque-là ne s'inscrivait qu'à l'état potentiel. Dans cette perspective, un retour sur *le Mandat* et l'aventure du vieux Dieng sera tout à fait éclairante ; elle permettra de saisir l'une des figures les plus usuelles par lesquelles le CNA accède à la réappropriation spatiale : l'apprentissage du monde nouveau.

Ce qu'à la faveur de ses pérégrinations et échecs mesure le vieux Dieng, c'est la déterritorialisation dont

---

10. Dans notre thèse : « L'espace dans la narration filmique : l'exemple du cinéma d'Afrique noire francophone », Paris VIII, 1987 ; en particulier, t. I.

il est victime. Si la configuration de son quartier (et peut-être de sa ville) n'a pas changé, les règles qui en régissent le fonctionnement lui sont étrangères. En fait, sous l'apparente identité du lieu se manifeste un espace radicalement autre. Il en fera l'expérience à ses dépens.

Pour cette raison les tout premiers moments du film inscrivent le « héros » dans son espace familier. Chez le coiffeur d'abord où se marque une certaine convivialité, chez lui ensuite, en compagnie de ses épouses. A l'évidence se lit sa maîtrise des lieux. Chaque chose, chaque personne occupent la place qui leur revient, suivant un ensemble de prescriptions tutélaires dont le vieux Dieng est le dépositaire. Par contraste sa délocalisation future n'en surgira qu'avec plus de force.

Une fois franchies les limites de son univers familier, il pénètre non seulement dans d'autres lieux mais surtout dans un autre espace dont la règle fondatrice est celle de l'argent. C'est elle qui détermine les rapports interpersonnels, qui définit une nouvelle hiérarchie, qui rend obsolète le pouvoir du vieux Dieng. Tout ce qu'il croyait savoir, tout ce qu'il avait patiemment appris, n'a brusquement plus cours. Précisément le film, par la mise en scène actionnelle (les diverses épreuves subies par le héros), non seulement va « dramatiser » la mésaventure mais encore va donner à lire le nouvel espace. Dans cette perspective le personnage sert avant tout de révélateur ; il est celui par qui le sens arrive.

Le processus se dessine alors avec netteté. Dans un premier temps, au plan iconique, des lieux fortement référentiels sont donnés à voir : l'effet de reconnaissance qu'ils provoquent s'accompagne d'une évaluation cognitive (fondée sur la compétence culturelle du spectateur) ainsi que d'un plus grand investissement narratif. Ensuite le personnage, par les diverses épreuves qu'il rencontre, fait émerger le véritable système relationnel sous-jacent, donnant à lire cette fois non plus des lieux mais un espace. A l'acte de monstration se substitue un acte cognitif qui constitue probablement le premier geste appropriatif du spectateur. Sa maîtrise passe ici par le savoir, et la visée narrative suppose un horizon didactique.

Probablement faut-il voir là l'une des raisons pour lesquelles le CNA, à ses débuts, a multiplié les récits au cours desquels le héros se trouvait partagé entre deux espaces. Non seulement s'y lisait le traumatisme historique de la colonisation, la rupture que celle-ci avait introduite dans l'univers tutélaire, mais encore ce schème structurel favorisait, par le jeu du contraste, la lecture du nouveau monde. On se trouve en présence d'un véritable topos, au sens rhétorique du mot.

Au reste, un film, par l'usage radical et systématique qu'il en fait, exploite totalement cette structure antinomique, au point d'en incarner comme l'archétype ; il s'agit de *Boubou-cravate*. Son titre déjà annonce l'opposition fondatrice entre l'Afrique « traditionnelle » et l'Europe. Le héros, jeune diplomate, se montre partagé entre les deux cultures, avec toutefois une prédilection marquée pour l'Occident. Son recours à l'africanité correspond seulement à un souci de conformité apparente. Son épouse en revanche, bien qu'africaine, opte totalement pour les « manières des blancs ». Sous l'œil ironique d'un boy-cuisinier qui n'hésite pas à formuler ses critiques, une transformation va peu à peu se produire, symbolisée par la cérémonie finale du masque initiateur.

Entièrement axé sur la dualité culturelle, le film s'organise sur le principe des oppositions systématiques qui correspondent en fait à deux espaces habités de valeurs contraires. Cela s'inscrit d'abord dans les lieux.

A la maison répond le bureau comme le privé au public. A l'intérieur de la première, au salon (espace des maîtres) fait écho la cuisine (domaine du boy) ; le second se structure sur le même modèle : au bureau directorial répond l'antichambre du commis. De plus, tout comme il partage le salon avec son épouse noire, le héros partage son bureau avec sa secrétaire et maîtresse blanche.

Cette disposition topographique s'accompagne d'un ensemble de signes culturels systématisés dans leur antinomie, jusqu'à la caricature humoristique. Ainsi de la cuisine et du salon. Un montage parallèle oppose et souligne, par exemple, les manières de l'épouse et celles du boy-cuisinier (à la mangue pelée, découpée, portée à la bouche à l'aide de la fourchette répondent la main joyeusement poisseuse et les lèvres juteuses). A la musique classique occidentale, le boy substituera un rythme africain traditionnel. A l'élocution châtiée fait écho un français direct et parfois approximatif. Au moyen du montage (parallélisme avec raccords expressifs) ou des mises en scène situationnelles (le maître de maison tenant des propos égalitaristes tandis qu'il se fait allumer un cigare par son serviteur), le film exploite et multiplie le jeu des oppositions jusqu'à l'hypertrophie.

Se lit alors sur le mode ironique la double appartenance du héros, symbolisée par le port simultané du boubou et de la cravate. Peu à peu cependant, sous la pression conjuguée de sa maîtresse et de son boy, le jeune diplomate va rejoindre l'espace culturel africain. L'ultime séquence au cours de laquelle il est dévêtu de ses vêtements de « blanc », en présence du masque et au rythme de la cérémonie d'initiation, constitue une véritable invite à la reconquête de l'identité.

La trajectoire ainsi dessinée est claire : elle appelle au ressourcement culturel, au réapprentissage des valeurs anciennes, à la réappropriation de l'espace africain.

Qu'il s'agisse du *Mandat*, de *Kodou* ou de *Boubou-cravate*, une même procédure se donne à lire : la représentation iconique de l'espace sous forme de lieux référentiels participe toujours d'un acte plus essentiel qui est celui d'un espace à signifier, et dont il convient, au besoin, de faire l'apprentissage. Dans cette perspective le « topos » du héros clivé, déchiré par la contradiction, contraint de procéder à une nouvelle initiation, possède une valeur didactique incontestable. On comprend que ce modèle ait rencontré beaucoup de succès dès les premières années du CNA ; par rapport à l'activité de production signifiante de l'espace, il était narrativement économique et rentable.

Au reste, conjugué avec d'autres nécessités, il sera à la base d'un travail singulier qui, très tôt, se met en place puis se développe rapidement : la constitution d'un jeu de stéréotypes. *Boubou-cravate*, notamment, par sa dimension caricaturale, en fait un large usage.

Une sorte de topique élémentaire, de « table des choses » dont on parle communément et sur lesquelles il ne faut pas « être coincé »[11] organise, de façon plus ou moins prescriptive, le CNA. Il ne s'agit pas pour autant de l'émergence de genres narratifs nouveaux (on sait que le code de genre est gourmand de stéréotypes, ceux-ci fonctionnant au besoin comme marqueurs de genre), mais plutôt d'assertions argumentatives, de « sujets » plus ou moins obligés sur lesquels nombre de cinéastes auront à faire réponse, de grandes plages de sens contraints et figés, et qui pourraient se ramener à deux énoncés-types : l'Afrique est acculturée par l'Occident, l'Afrique est partagée entre la tradition et la modernité. Clivage, contraste, dualité, la figure de la gémellité douloureuse à nouveau transparaît.

Qu'un cinéma en voie d'émergence invente ses propres stéréotypes ne saurait étonner car ces derniers sont de véritables opérateurs de sens. Mais des opérateurs singuliers. En effet, tout à la fois, ils réduisent la prolifération du sens en le cristallisant dans un nombre relativement faible de figures récurrentes, et, par la stabilité sémantique qui leur est propre, dessinent de grands axes de signification sur lesquels s'établit un consensus social. Lieux de rencontre, jouant sur l'effet de « retrouvailles », ils sollicitent l'adhésion du plus grand nombre. Cependant, s'ils favorisent à l'évidence la reconnaissance, leur vertu cognitive a peu de force, en raison de leur faible taux d'information.

Le CNA sera confronté à cette contradiction : la constitution des stéréotypes lui est aussi nécessaire que la nécessité de les dépasser ; et ce mouvement, de façon empirique et lâche, s'inscrira dans la diachronie. Des premiers films jusque vers la fin des années 70 (le VIe FESCAPO — 1979 — formant une sorte de moment charnière) se déploie une phase marquée plutôt par l'activité constitutive. Cela ne surprendra guère : montrer l'espace, lui donner du sens — fût-il figé — répond à une nécessité historique.

Réaction à la forte prégnance du réel référentiel ? Souci d'exemplarité ? Désir de manifester le sens caché des choses par une volonté didactique ? Quelles que

---

11. Roland Barthes, « L'ancienne rhétorique, aide-mémoire », *Communications*, 16, 1970, pp. 172-229.

soient les raisons, la stéréotypie structure très vite l'ordre narratif du CNA. Or, elle a ceci de particulier, ici, qu'elle engage prioritairement le mode de représentation de l'espace. En effet la figure thématique et centrale du sujet clivé, on l'a vu, suppose son appartenance simultanée à deux espaces perçus comme contradictoires. Précisément, c'est à partir de ce noyau premier que va se développer la stéréotypie jusqu'à s'organiser en un système fondé sur le principe de l'antinomie.

Rapports conflictuels de l'Afrique et de l'Occident, partage entre la tradition et la modernité, ces deux énoncés-types, mentionnés précédemment, se ramènent en fait à un seul, dès lors que la modernité est donnée comme consécutive à l'ingérence occidentale en terre africaine. Le couple oppositionnel « tradition/modernité » constitue en fait le noyau sémantique central de la stéréotypie.

Celui-ci, toutefois, ne peut accéder à la narration filmique sans recevoir une actualisation. D'autres couples antagonistes, répertoriés dans de nombreuses études [12] comme de simples thèmes, interviennent alors, qui participent en fait d'une sorte de grande figure paradigmatique.

Ainsi en va-t-il de l'opposition entre l'Afrique et l'Europe, le passé et le présent, le village et la ville. De même qu'à une économie fondée sur le troc s'oppose celle qui repose sur l'argent. A l'ignorance du paysan illettré répond le savoir du fonctionnaire, à l'individualisme citadin la solidarité villageoise, ou encore à l'honnêteté l'esprit de fraude. Articulés tous sur le principe de l'antinomie, chacun actualisant un aspect particulier du noyau sémique, ces différents couples, dans leur énumération, constituent une véritable chaîne paradigmatique :

$$\frac{\text{modernité}}{\text{tradition}} = \left\{ \frac{\text{Europe}}{\text{Afrique}} : \frac{\text{présent}}{\text{passé}} : \frac{\text{ville}}{\text{village}} : \frac{\text{argent}}{\text{troc}} : \frac{\text{savoir}}{\text{ignorance}} : \right.$$

---

12. *Cf.* « Cinéastes d'Afrique noire », *L'Afrique littéraire et artistique*, 49 ; en particulier « La thématique » de Pierre Haffner.

$$\frac{\text{individualisme}}{\text{solidarité}} : \frac{\text{débauche}}{\text{moralité}} : \frac{\text{vitesse}}{\text{lenteur}} : \frac{\text{bruit}}{\text{calme}} : \frac{\text{fraude}}{\text{honnêteté}} \Bigg\} \text{etc.}$$

Aussi le village africain replié sur son passé, privilégiant l'esprit de solidarité, pratiquant une économie de troc, veillant au respect des règles morales du groupe, fondant son savoir sur l'oralité et vivant au rythme paisible du pas de l'homme, n'est-il pas loin d'incarner — dès lors qu'il accumule les traits constitutifs — le type même du village idéal. Bien entendu, il est rare qu'un film pousse aussi loin la caractérisation ; généralement une sélection est opérée, seuls quelques termes sont actualisés. Néanmoins il semble bien que la force du stéréotype soit en rapport direct avec le nombre de traits retenus et manifestés.

Par ailleurs cette chaîne paradigmatique, ainsi qu'on l'aura noté, réunit des couples assez hétérogènes. En fait le stéréotype ne fonctionne pas seulement par accumulation de termes ; sous la disparité énumérative de ses composantes doit se lire son amplitude au plan de la narration, dès lors qu'il intervient à différents niveaux.

Ainsi, de son autorité dépend le choix des lieux : l'Afrique, l'Europe ; le village, la ville. Pour le premier couple, l'actualisation la plus contrastée suppose la disjonction spatiale des deux figurations. C'est ce que propose exemplairement *la Noire de...* Pour aller de Dakar à Antibes, Diouana doit accomplir un faire « déplacement ». Cependant la majorité des films introduisent dans l'espace géographique de l'Afrique des composantes spatiales marquées comme européennes. Cela n'a rien de contradictoire avec le principe d'antinomie : l'Occident a historiquement pris place sur le continent noir et il est encore présent ; les deux réalités coexistent au sein de la même unité géographique. Le stéréotype, dès lors qu'il souhaite rester fidèle à lui-même, prend seulement soin d'en marquer le caractère antinomique, évite de noter les possibles phénomènes d'osmose. C'est ce que fait *Kodou*, par exemple, dans sa représentation de l'hôpital psychiatrique et du rituel de guérison, ou encore *le Médecin de Gafiré* avec l'antenne médicale et la maison du féticheur.

Le second couple, à l'inverse, se représente systématiquement sur le mode de la disjonction. Pour passer du village à la ville (et réciproquement) le personnage doit accomplir nécessairement un faire « déplacement ». Si bien que cette action deviendra l'une des scènes obligées de nombreux films comme *Djeli*, *Ablakon*, *la Parole donnée*, *Lambaye*, *A banna*, *le Destin*, *Poko*, *Pawéogo*, et bien d'autres encore. Ici aussi, dans le mode de représentation, les oppositions seront le plus souvent nettement marquées.

Cette démarcation spatiale s'accompagne en outre d'une procédure identique au plan temporel, entre le passé et le présent. La tradition, par définition pourrait-on dire, s'ancre sur ce qui fut et qui peut-être demeure encore ; la modernité serait, elle, plutôt en prise sur un présent tourné vers l'avenir. Il s'agit, bien entendu, moins de la temporalité du récit que d'une sorte d'historicité référentielle globale qu'il conviendrait peut-être mieux de traduire par « avant, dans le temps » *vs* « maintenant, aujourd'hui ».

S'il est nécessairement variable et diffus, le mode de figuration de cette opposition trouve néanmoins à s'incarner de façon privilégiée dans la relation d'âge, entre les anciens et les jeunes ; bien souvent aussi dans le rythme de la vie quotidienne.

Le stéréotype commande ensuite diverses règles de fonctionnement qu'il inscrit dans l'espace de référence. Ainsi en va-t-il de l'opposition entre le système monétaire et celui du troc. *Le Mandat*, on vient de le voir, illustre la transformation radicale qu'a introduite l'argent dans la société. C'est lui qui définit le nouvel espace, engageant à la fois les modes de rapports humains, de nouvelles valeurs et un déplacement des pouvoirs. Dans l'univers citadin, le vieux Dieng n'exerce aucune autorité : illettré, il se trouve à la merci de ceux qui « connaissent papier ».

Le stéréotype enfin, dans son actualisation, gère le système de valeurs propre aux espaces conflictuels. De façon convenue, la ville est le lieu de la perte, elle-même sexuellement différenciée. L'escroquerie (des fonctionnaires, des « grands », des marabouts, etc.), le vol, la drogue, guettent l'homme. Quant à la femme, c'est naturellement la prostitution qui lui revient. Le village, à l'inverse, conformément à la tradition sera le lieu du respect : des coutumes, des principes moraux, de l'autorité, des valeurs culturelles. Du Sahel à l'équateur, en dépit de quelques variantes, cette figuration se retrouve avec une surprenante constance.

Par son amplitude et les contraintes qu'il détermine, le stéréotype s'offre donc comme une sorte de modèle permettant de répondre par avance aux nécessités de ce que la rhétorique ancienne appellerait l'« inventio ». Aux questions concernant les lieux, la régie de l'espace et du temps ou les composantes axiologiques à figurer, il fournit des réponses largement codifiées et donc porteuses de significations plus ou moins attendues.

Son pouvoir, toutefois, ne s'arrête pas là, il veille aussi à répondre aux problèmes de la « dispositio ». Il ne se contente pas de fournir un ensemble de « thèmes » possibles, il en prévoit l'investissement narratif.

Ainsi il propose (impose ?) quelques constantes dans la représentation de l'espace. L'opposition « ville/village » passera, le plus souvent, au plan iconique, par l'opposition entre la verticalité et l'horizontalité. La ville (dans ce qu'elle a de plus exemplaire) sera signifiée par l'élévation. Dans *Ayouma*, par exemple, de longs travellings s'attarderont avec une nette complaisance sur les buildings qui se dressent en front de mer. Libreville se symbolise alors par sa verticalité. A l'inverse les villages se caractériseront par l'étalement au sol de leurs cases et maisons basses. *Djeli* (avec les vues inaugurales du Plateau d'Abidjan), *Borom Sarret* (avec une contre-plongée expressive sur un grand immeuble), *la Noire de...* (avec l'ascenseur matérialisant l'élévation), *Comédie exotique* (avec à nouveau le Plateau), recourent, comme bien d'autres encore, à cette « verticalisation » de l'espace citadin, qui contraste avec l'horizontalité villageoise.

La même opposition sera représentée, avec plus de constance encore, dans le choix des matériaux : au béton urbain répond le banco rural, comme la modernité à la tradition. C'est du reste ce qu'explicite le père de Fanta, dans *Djeli*, lorsqu'il fait visiter à sa fille la nouvelle maison en construction. Il parle avec fierté de cette bâtisse en béton qui, pour lui, symbolise l'ère moderne.

« Verticalité/horizontalité » ou « béton/banco », ces deux modes de représentation iconique de l'espace sont à l'évidence liés à la réalité géographique référentielle. Ainsi le premier couple se rencontre essentiellement dans les cinémas ivoirien, gabonais ou sénégalais (où Abidjan, Libreville et Dakar dressent les hautes silhouettes de leurs immeubles réellement existants) alors que le Niger et le Mali l'ignorent et lui substituent le second. S'il autorise donc une certaine souplesse, le stéréotype ne manque cependant pas de s'affirmer par le procédé du contraste.

Précisément la force de ce dernier trait autorise la restriction « thématique » : sur la chaîne paradigmatique l'un des termes sera sélectionné pour devenir, tout en renvoyant à l'opposition fondatrice, le « thème » central d'un récit particulier. Il en est ainsi, par exemple, dans *Abusuan*, où tradition et modernité se lisent à travers le « parasitisme » familial. Un jeune cadre citadin, un jour, voit débarquer chez lui, venus du village, les enfants d'un de ses cousins, auxquels d'autres s'adjoindront bientôt. Les contraintes de la vie urbaine, peu compatibles avec la solidarité villageoise, seront rapidement cause de difficultés multiples. De plus, les enfants désœuvrés et inadaptés glisseront vers la délinquance. « Individualisme/solidarité », « débauche/moralité », à travers la restriction thématique, se lit le renvoi à l'opposition fondatrice.

L'investissement narratif s'opère ici à partir d'un éventail de « possibles » définis par une sélection sur la chaîne paradigmatique ; cependant le pouvoir du stéréotype s'étend encore au-delà lorsqu'il se projette sur l'axe syntagmatique. A propos des déplacements notamment. La disjonction spatiale entre la ville et la campagne (ou l'Afrique et l'Europe) justifie le recours aux scènes de « voyage » ; le choix paradigmatique reçoit une réponse au niveau syntagmatique. Il en va de même avec la valeur programmatique des lieux : l'apprentissage d'un nouvel espace suppose la mise en place d'épreuves diverses et successives. L'ordre narratif, sans être arrêté dans ses détails, répond néanmoins assez largement au principe de la linéarité. Enfin la causalité et, par là, le vraisemblable sont eux aussi tributaires des contraintes qu'impose le stéréotype.

Le faire d'un personnage appartenant au monde de la tradition sera distinct de celui qui incarne la modernité. Dans *Muna-moto* le héros, avant de se marier, doit acquérir le montant de la dot. Cette contrainte (à la fois référentielle et narrative) détermine la logique des événements qui suivront. Travaux multiples du jeune homme, échec devant la trop grande richesse de son oncle, enlèvement final de l'enfant sont, directement ou non, articulés sur l'« hypothèse » première.

Intervenant au plan paradigmatique surtout, mais aussi au niveau syntagmatique, le stéréotype, par sa capacité de réglage, fonctionne comme une sorte de programme préétabli. Dès lors que le CNA vise à se réapproprier symboliquement l'espace en le donnant à voir d'abord, en le donnant à signifier ensuite, on comprend qu'il ait recouru aussi fréquemment à un modèle si efficace sur le plan narratif. En effet, il fait réponse à deux types d'interrogations.

L'une concerne l'activité sémantique du récit. Parce qu'il réarticule la diversité des thèmes et des figurations autour d'un axe oppositionnel fondamental, il vise à instaurer un sens privilégié contrôlant l'expansion polysémique, dans le même temps qu'il accentue la lisibilité du texte. L'autre concerne l'activité narrative : réservoir de thèmes et de figures largement expérimentés, il offre de surcroît un ensemble d'agencements possibles. En se plaçant ainsi sous le signe de la récurrence, le stéréotype s'adresse au spectateur sur le mode de la familiarité et l'invite à une participation fondée sur la reconnaissance. Cela répond probablement à une nécessité historique : face au déferlement d'images et de sons étrangers, il importait de réintroduire une certaine proximité, une certaine convivialité.

Cependant le stéréotype porte en lui sa propre mort : faiblement informatif, il risque de tourner à vide rapidement. Autour de la fin des années 70, le CNA amorce alors un mouvement de désengagement. De plus en plus nombreux seront les films qui explorent d'autres voies. Ce qui n'était, avant cette période, que tentatives isolées tend à prendre l'allure d'un mouvement plus général. Cela ne signifie pas pour autant que le stéréotype disparaît ; il subsiste dans de nombreux films. Néanmoins un déplacement important a lieu, qui semble opérer sur trois registres différents.

Non sans quelque paradoxe, le premier repose sur une sorte d'hypertrophie du stéréotype. Pris comme tel (et non plus comme modèle de « gestion » du figuratif), il se retourne sur lui-même et fait basculer le film du côté de l'humour et du comique.

Déjà, en 1972, une tentative dans ce sens s'était dessinée avec *Amanié*. Fraîchement débarqué de son village natal, le héros, loin de se laisser engloutir dans les turpitudes de la grande ville, va exploiter à son profit l'une des composantes de l'espace citadin. En se donnant, par sa tenue vestimentaire, les apparences d'un « grand », il abusera les « filles qui rêvent de se marier avec des ministres, des hauts fonctionnaires »[13].

Présence du double espace contradictoire (le village/la ville), apprentissage d'un espace nouveau, assurément le stéréotype fournit la trame du film. Mais un renversement a lieu puisque, contrairement au drame du vieux Dieng, le héros devient le bénéficiaire d'une situation traitée sur le mode comique. Cependant l'inversion ne concerne, ici, que le personnage, elle n'affecte guère le mode de représentation de l'espace.

Avec *Adja-tio, Notre Fille* ou *Ablakon* il en ira différemment. S'il ne se donne pas comme franchement comique (la volonté de dramatisation et le souci didactique y ont leur part), le film de J.-L. Koula introduit néanmoins une dimension caricaturale dans sa représentation du village (sous l'influence aussi, peut-être, de la pièce théâtrale dont il s'inspire). La concession, avec sa cour, devient le lieu de convergence et de manifestation des palabres et querelles familiales. Les rôles sociaux incarnés par les personnages (époux, frère, belle-sœur, sorcier, planteur et pêcheur) répondent à des traits à la fois référentiels et convenus. Si le sorcier, par exemple, se montre dans ses activités conforme à son statut au sein de la communauté, sa gestuelle, ses mimiques, son

---

13. P. Vieyra, *Le Cinéma africain*, *op. cit.*, pp. 61-62.

emphase appellent le rire. L'espace villageois (cela est moins vrai des séquences citadines) répond aux normes attendues mais dans le même temps elles y sont poussées à l'excès.

D'un principe similaire participe le film de Daniel Kamwa, où l'opposition ville/campagne et le problème de la dot sont cette fois-ci franchement utilisés comme fondements du registre comique. L'aliénation culturelle propre à une certaine représentation de l'espace citadin y sera systématiquement caricaturée. Parallèlement le village, à travers particulièrement le rôle du père (dans ses déplacements, ses palabres, son comportement), voit ses traits les plus conventionnels grossis jusqu'au comique.

Quant à *Ablakon*, c'est par le montage de deux histoires, l'une urbaine, l'autre rurale, qu'il joue sur la stéréotypie. La quasi-totalité des composantes villageoises, par exemple, sont traitées sur le mode de la caricature : topographie (chaque lieu n'est représenté que par rapport à sa fonction attendue), distribution des rôles et de l'autorité au sein de la famille, crédulité généralisée liée à l'ignorance du monde moderne. Ainsi l'appareil téléphonique dont use le « fils prodigue » pour communiquer censément avec New-York ou Paris n'est manifestement relié à aucune ligne.

On le voit, le registre comique de ces trois films repose pour l'essentiel sur l'hypertrophie du stéréotype. Jouer du modèle jusqu'à en rire, n'est-ce pas le signe d'une libération ? L'excès n'est-il pas ici ce qui permet de prendre la mesure ?

La seconde voie s'engage sur le terrain de l'Histoire. Les contradictions du monde présent s'estompent au profit d'un regard sur le passé, et le couple « tradition/modernité » perd sa raison d'être. Sembène Ousmane, le premier, propose avec *Ceddo* (quoique *Niaye*, antérieur de quelques années, entre déjà dans une perspective similaire) une interrogation sur un passé lointain. *L'Exilé, Wend Kuuni, Si les cavaliers...* ou encore *la Chapelle* s'inscrivent eux aussi dans cette veine.

Le déplacement qui s'opère alors est tel que le stéréotype, en tant que modèle narratif, perd sa validité même s'il demeure parfois, çà et là, sous forme fragmentaire. Par ailleurs cette plongée vers un temps révolu, dès lors qu'elle explore (ou se donne pour horizon) une société différente du présent, réactive l'interrogation fondamentale sur l'homme et son espace.

Ceddo, exemplairement, en fait son propos central. La conquête islamique transforme radicalement l'espace social. Le pouvoir, bien sûr, change de mains, entraînant ainsi un renversement du système axiologique : à la liberté, valeur suprême des ceddos, se substitue la soumission au pouvoir divin (sinon au pouvoir temporel de l'imam), à la fierté se substitue l'humilité qui, dans la scène du baptême collectif, ressemble étrangement à l'humiliation. Seule la princesse Dior Yacine, par son geste final (elle tire sur l'imam), devient la dépositaire et l'incarnation des valeurs vaincues.

La topographie elle-même se transforme : le village change de centre. A même le sol se dessine la mosquée. C'est elle qui désormais structurera l'espace (elle sera le point de convergence obligé des déplacements) et le temps (elle divise la journée au rythme des prières) de la communauté. Au reste, comme s'il s'agissait d'en faire la traduction plastique, ce conflit et son issue s'inscrivent sur l'écran par le jeu des couleurs. Sur le fond ocre qui teinte le paysage — seules quelques trouées de vert dans la brousse rompent cette unité — les couleurs vives éclatent. Alors la conquête du pays par l'imam et ses troupes se lit dans le progressif envahissement par le blanc (celui des vêtements des « talibés ») qui chasse, étouffe, élimine les tuniques rouges et bleues si visibles au début du film.

Bien que située à une époque plus récente (1906 exactement), l'histoire que raconte *Si les cavaliers...* reprend une interrogation similaire : le viol d'un espace par l'ingérence étrangère. Les tirailleurs sénégalais et l'armée française remplacent ici l'Islam et l'imam. Néanmoins se donne à lire une même transformation du paysage et de l'ordre social. Les tirailleurs, par leurs excès, vont faire du village un lieu d'insécurité et de désordre placé sous le signe de la force. Dans le même temps, par le récit de la coalition des différents chefs de régions, l'ancien pouvoir, celui de la tradition, s'y révèle dans son fonctionnement complexe.

L'Exilé et *Wend Kuuni* renvoient eux aussi leur fable

à une époque antérieure à la colonisation pour la plonger dans un passé lointain. Cependant les événements évoqués relèvent moins de l'Histoire que du conte (de ce point de vue *Toula* avait déjà ouvert la voie). Cette différence est d'importance, car ce n'est plus la transformation d'un espace qui parcourt le texte mais la représentation d'un monde stable, ayant largement valeur de modèle sur le plan axiologique. Ici ce sont moins les événements qui importent que la mise en œuvre d'une sorte de cosmogonie sociale.

Avec l'*Exilé* elle repose sur une valeur supérieure, celle de la parole donnée et tenue (avec sa référence directe à l'oralité). Or le prix de celle-ci ne peut se fixer qu'à l'aune de deux enjeux suprêmes : la vie, le pouvoir. Cela étant, elle peut fonder un ordre social, assurer la stabilité et la cohésion d'une société, voire d'une civilisation.

Précisément le long itinéraire du héros (du manquement jusqu'à l'exécution de la promesse) prend la forme d'un voyage au cours duquel se donne à lire un espace à la fois mythique et réaliste, mais toujours placé sous le signe de la parole : c'est elle qui, en dépit de la variété des épreuves et de leur diversité figurative, couronne la hiérarchie des valeurs propres aux sociétés traversées.

Bien qu'ayant pour héros un jeune enfant muet, *Wend Kuuni* se présente aussi comme un film sur la parole, mais saisie cette fois-ci en tant que source, moyen et relais de communication. En filigrane de l'amitié qui unit le jeune garçon et la fillette, et de leur profond échange, se lit, comme en parallèle, le mode de communication qui existe au sein de la communauté villageoise et qui repose sur le verbe aussi bien que sur le geste, l'entraide ou même le conflit. Le village apparaît alors comme un espace propice à la communication véritable, fondée sur l'échange.

Que la dimension historique l'emporte ou que la fable s'enlève sur fond mythique, le retour sur le passé, à la fois comme interrogation et comme modèle, d'une part, permet d'échapper aux prescriptions du stéréotype (même si la « focalisation » sur la tradition appelle implicitement un regard critique sur la modernité), d'autre part, favorise la quête de l'identité. C'est à la mémoire collective, comme dépositaire d'une certaine authenticité, que ces films s'adressent ; nul doute que, dans la perspective d'une réappropriation, ils n'aient un rôle primordial à jouer.

La troisième voie, elle, se trace sur le terrain du « réalisme ». Le regard porté sur la vie quotidienne, sur les labeurs, les joies ou les difficultés du groupe social se fait attentif au monde de référence, pour en souligner la richesse et la valeur.

Dans cette perspective s'inscrivait déjà *Lettre paysanne* mais plutôt sur le mode du documentaire. *Fadjal* introduit, lui, une nette dimension fictionnelle. Néanmoins dans l'un comme dans l'autre, la vie d'un village sérère, en tant qu'espace social, y est observée non seulement avec précision mais encore et surtout « de l'intérieur ». L'énonciateur, dans ces deux films, appartient manifestement (cela étant même précisé par la voix off de *Lettre paysanne*) au monde dont il se fait le « griot ». Ce sera une attitude caractéristique de cette pratique « réaliste ».

Il en va ainsi de *Djeli*. Certes, et en ce sens ce film présente un double intérêt, l'opposition entre la tradition et la modernité y est présente, comme si le stéréotype tentait un retour, mais elle aura pour conséquence de donner une dynamique aux perturbations qui traversent l'ordre ancien du village. Elle sert de révélateur.

Parce qu'ils parlent depuis un autre espace culturel (celui de la ville où ils poursuivent leurs études) les deux « fiancés » ne peuvent accepter l'interdit de caste qui s'oppose à leur mariage. Cependant leur demande, formulée et examinée dans un lieu placé sous le signe de la tradition, produit un bouleversement conflictuel. Dès lors chaque membre des familles concernées devra se déterminer par rapport à cet « événement ». Cette déchirure, et le dysfonctionnement qui en résulte, rendent explicites les règles qui jusque-là géraient l'espace villageois : hiérarchie sociale, matriarcat, vertu morale, dignité, obéissance, etc. Le conflit qui oppose le père de Fanta à son épouse en fournit la meilleure illustration.

De plus une sorte de suspension de la circulation et des échanges sociaux a lieu. Chacun tend à se figer sur ses positions et à se retirer sur son propre territoire :

les familles de Karamoko et de Fanta ne communiquent plus, le père et son épouse occupent chacun leur domaine. Le regard (celui de la caméra, celui du spectateur) va alors circuler de lieu en lieu, s'attardant, observant, donnant à voir, dans sa structure la plus fine, l'agencement singulier d'un espace qui devient par là étrangement proche, étrangement familier.

D'un principe semblable s'inspire *A banna*. C'est ici la visite faite au village qui, par les jalousies qu'elle suscite, fera émerger l'ordre latent. A son tour le film s'attardera sur les moindres réactions, toujours situées par rapport à l'espace dans lequel elles s'inscrivent.

Au référent rural, jusqu'ici maintenu, répond, avec *Baara* et *Finyé*, l'ordre urbain. Les contradictions dont ce dernier est porteur ne se lisent plus par opposition à son contraire villageois, mais s'appréhendent, là aussi, de l'intérieur. La ville en tant que lieu de travail et de pouvoir centralisé porte en elle ses propres conflits. Certes, parfois référence est faite au passé récent de la colonisation (le gouverneur de *Finyé* aurait la France pour seconde patrie, selon sa fille), mais les deux films explorent avant tout l'espace présent pour en faire surgir les règles de fonctionnement : collusion du politique et de l'économique pour *Baara*, du pouvoir personnel et totalitaire pour *Finyé*. Dans l'un et l'autre cas elles définissent la fonctionnalité des différents lieux de la ville. Cela apparaît en toute clarté dans *Finyé* particulièrement.

Un réseau se met en place avec sa distribution réglée. Au centre de la toile d'araignée : la villa du gouverneur. Espace privé, certes, mais où le chef militaire ne se départit jamais de son autorité absolue et violente. Autour, le lycée et la rue en tant qu'espaces publics, la maison du grand-père de Bâ et diverses concessions, en tant qu'espaces privés ; plus loin, la nature, espace du travail des champs mais aussi des génies. Enfin, quelque part, sous le contrôle direct des militaires, la prison et le camp. Cependant pour le gouverneur, sur toute la région qu'il administre, n'existe qu'un seul espace, transparent, ordonné, implacable, immuable, celui du parti unique militaire : sa force prescriptive est telle qu'elle uniformise (c'est le cas de le dire !) tous les lieux en balayant leurs caractères propres.

Ainsi se trouve abolie la distinction entre les espaces publics et privés : Bâ échouera au baccalauréat à cause de l'intervention personnelle (privée) du responsable politique sur le jury ; lors de la chasse entreprise par les soldats, une concession particulière sera investie et les lois de l'hospitalité violées ; enfin le gouverneur par un trafic illicite tente de s'approprier les champs et les terres. Devant cette mainmise de l'ordre dictatorial, l'espace se structure suivant une seule opposition, entre la légalité et la clandestinité. La maison où se retrouvent les lycéens pour « fumer » en forme un premier îlot, mais suivent bientôt l'imprimerie secrète puis la rue tout entière lors de la manifestation spontanée finale.

Qu'il s'agisse du village ou de la ville, la vision « réaliste » offre une double caractéristique. D'une part elle plonge résolument dans le présent, d'autre part elle se montre réceptive à l'univers référentiel : dans le travail de signification, l'être-là du monde l'emporte sur le stéréotype et sa visée monosémique. La réappropriation procède par le réajustement du regard, toujours situé au cœur de l'espace culturel dont il souligne la richesse.

Par le rire, par un retour interrogatif sur le passé ou par l'observation attentive du réel référentiel, le CNA se dégage de l'emprise qu'exerçait sur lui le modèle du stéréotype ; du même coup il s'ouvre à la diversité inventive et accroît son pouvoir d'information. A la reconnaissance se substitue la re-connaissance. Longtemps interdit d'écran (sinon sous la forme de l'exotisme et, dans ce cas, à partir du regard allogène), l'espace africain, en tant que réalité géosociologique, va très rapidement constituer le référent essentiel du CNA, en dépit d'une première période où l'Europe le concurrençait. Se trouve ainsi accompli un geste premier, celui de la monstration : des images de chez soi sont montrées ; le miroir renvoie enfin des images de cet autre qui est le frère de race et de culture, partageant la même histoire récente du colonialisme.

Et cette réappropriation spéculaire s'accompagne d'une interrogation. L'espace réel, transformé par l'ingérence occidentale, demande à être ressaisi. L'acte de monstration, comme sous l'urgence historique, sera très tôt une façon de dire le sens du monde nouveau. Par la récurrence du topos de l'acculturation et de la perte d'identité, une sorte de discours plus ou moins convenu se répand du Sahel à l'équateur, placé sous le signe de la stéréotypie : le CNA montre pour dire. Mais ce qu'il dit risque de s'épuiser dans la répétition. Le stéréotype appelle son propre dépassement. Il s'agit peut-être alors moins de dire le sens que de le laisser sourdre.

Postérieur au traumatisme colonial et comme issu de lui, le CNA participe, suivant sa spécificité (en prise directe sur l'imaginaire) [14], de l'acte fondamental de la réappropriation. Volonté de monstration, volonté de signification, quelles qu'en soient les fluctuations, constituent les deux axes suivant lesquels il se construit. Nul doute qu'au plan narratologique les conséquences en seront lisibles.

---

14. C'est ce que montre P. Haffner dans sa thèse (citée).

L'ORDRE CACHÉ DES LIEUX

En vingt-cinq ans d'histoire du CNA, l'Afrique, en tant qu'espace référentiel, a donc conquis le droit d'exister sur les écrans. Or, pour le regard occidental, un fait ne manque pas de surprendre. Alors qu'une vision fortement teintée d'exotisme et de stéréotypes perçoit ce continent comme celui des grands espaces naturels, ouverts à l'aventure et à la découverte, le CNA non seulement n'offre aucune image de ce type [1], mais encore montre toujours une Afrique socialisée de bout en bout, une Afrique faite pour et par l'homme. Les fables qu'il invente, les récits qu'il ordonne, relatent presque tous la « geste » du quotidien, passé ou présent, toujours ancrée dans l'environnement physique et social. Si bien qu'au-delà de la diversité, de la multiplicité des lieux et de leur figuration se profile une sorte de paradigme générique : la relation de l'homme à l'espace.

Celui-ci, pour s'inscrire au sein du procès narratif, passe par quelques figures nucléaires de base, susceptibles de se développer sur l'axe syntagmatique [2]. Elles

---

1. A l'exception d'un film comme *Water and Wilderness*, mais qui appartient à l'aire anglophone.

2. Rappelons que l'axe syntagmatique (opposé au paradigmatique) ordonne et agence tout au long de la chaîne de l'énoncé (verbal ou filmique), les divers éléments qui composent ce dernier.

forment ce que l'on appellera des matrices topographiques, et à partir d'elles pourrait s'envisager sinon une typologie, du moins une distribution réglée des films négro-africains. Néanmoins ce souci de classification n'est pas une fin en soi ; il aurait plutôt pour tâche, d'une part, de rendre manifestes les agencements narratifs latents, d'autre part de faire apparaître quelques composantes caractéristiques du CNA.

Du lieu à l'espace

Ce que montre et donne à lire le film, notamment à partir de la figuration iconique, ce sont non pas des espaces mais des lieux. Bien que quasi synonymes dans l'usage courant, ces deux termes demandent à être nettement distingués. Par analogie avec la distinction qu'introduisait Ferdinand de Saussure entre la langue et la parole (celle-ci actualisant par l'énoncé celle-là), on proposera de considérer le lieu comme l'actualisation, la manifestation concrète et circonstanciée, de données spatiales qui, elles, s'organisent en système [3]. Or, en tant que système, l'espace doit être construit par l'analyste, particulièrement au sein de cet autre système particulier qu'est déjà le film. Système du système donc, et qui définit la spécificité de l'espace narratif : inclus dans un projet narratif, il en épouse la visée.

Par là il se démarque des autres systèmes spatiaux en fonctionnement hors des films et dont ceux-ci se nourrissent : architectural, social, géographique, religieux, du travail, des loisirs, etc. Ceux-là produisent des significations, des valeurs, rapportées aux lieux (comme d'autres systèmes, parfois les mêmes, attribuent des valeurs aux personnages). Aux lieux et non à l'espace. Celui-ci pour se construire suppose un changement de niveau : ce qui est valeur, signification, pour le lieu devient trait distinctif pour l'espace qui s'élabore sur la base d'une sélection de ces traits. L'espace citadin, par exemple, retiendra la verticalité (signifiée, elle, par l'élé-

---

3. Pour plus de précisions, nous nous permettons de renvoyer le lecteur à notre thèse (déjà citée), en particulier t. I.

vation des immeubles, le jeu des cadrages, des rapports de proportion, etc.), l'animation (densité de la circulation piétonne ou automobile, intensité sonore, mouvements collectifs, etc.), le luxe éventuellement (manifesté par les vitrines, les tenues vestimentaires, les panneaux publicitaires, etc.) et d'autres encore. L'espace narratif s'alimente aux valeurs introduites par d'autres systèmes spatiaux mais sans se réduire à leur somme, sans se confondre non plus avec eux.

C'est là une première appréhension possible ; l'abstraction (le systématique) s'effectue à partir d'un changement de niveau : les signifiés d'un système deviennent les signifiants de l'autre[4].

Il en est une seconde qui se fonde sur les différences de « monde » d'appartenance. L'espace social, par exemple, et les valeurs qu'il promeut, appartiennent au monde référentiel postulé par le film, tout comme les espaces géographique, architectural, du travail, etc. L'espace narratif appartiendrait, lui, au monde du récit ; c'est-à-dire qu'il est, en dépit de sa forme abstraite, inscrit dans le particulier, celui de chaque film envisagé comme système singulier.

Ainsi, pour se référer brièvement à un exemple, *la Noire de...* s'organise à partir d'une opposition fondatrice entre l'espace africain et l'espace européen[5]. En ce sens celle-ci se révèle propre à ce film (ce qui ne signifie évidemment pas qu'elle ne se rencontre que là). Or ces deux espaces antithétiques se construisent (en tant que système) sur la base de traits distinctifs manifestés au sein du film : communauté *vs* individualisme, ouverture *vs* clôture, communication *vs* isolement, etc. Ces traits sont eux-mêmes issus de valeurs sociales attribuées aux lieux du film.

Par ce jeu de valeurs qui leur sont attribués, les lieux, d'une part, s'articulent sur le monde social de référence,

---

4. Quelque chose comme la structure élémentaire de la connotation décrite par Barthes affleure ici, cependant moins pour produire des sens nouveaux que pour construire un objet.

5. Pour plus de détails, *cf.* notre article « La topographie, lieu commun de l'écrit et du filmique », dans *Revue d'Etudes ibériques et cinématographiques*, n° 8/9, Université de Strasbourg II, 1988.

d'autre part, se structurent sur la base de traits distinctifs en un système spatial propre au récit de *la Noire de...*

Reste une autre question, et non des moindres : suivant quels critères s'effectue la sélection aussi bien des valeurs locatives que des traits distinctifs ?

Soit quelque film occidental offrant à la vue une vaste plaine. L'« encyclopédie » personnelle (souvenirs anciens des cours de géographie, expérience vécue, récits de tous ordres, etc.) invite à l'énumération. La plaine c'est : la platitude, une faible altitude, une bonne irrigation, une terre généralement fertile ; c'est aussi l'ouverture aux vents, aux influences climatiques, à la circulation des hommes ; c'est encore une zone d'activités économiques, agricoles ou industrielles : un espace fragile, soumis aux invasions, riche d'Histoire donc. Et la liste ne saurait être close ; le tiroir de l'encyclopédie doit rester ouvert.

De cette prolifération, que retenir ? Quelles sont les caractéristiques à investir dans le récit ? Le film, certes, avance quelques propositions : fertilité, platitude, influence maritime sont, par exemple, lisibles à l'image, avec au besoin une certaine ostentation. Cela n'exclut pas pour autant d'autres caractéristiques moins évidemment lisibles, peut-être latentes et qui, ultérieurement, pourront révéler leur pertinence. Les propositions du film sont elles-mêmes ouvertes, simplement indicatives. Elles n'assurent pas mon choix définitif.

Par ailleurs cette plaine doit-elle être considérée comme un lieu ou comme un espace ? Probablement les deux à la fois, mais pas de la même manière. Assurément le film montre un lieu avec ses caractéristiques, avec ses valeurs, mais aussi avec son accès potentiel à l'espace. Que plus tard, dans le récit, cette plaine vienne à être envahie par le déploiement d'une armée, et elle se percevra comme un espace ouvert à l'envahisseur : la caractéristique physique se convertit en trait relationnel à valeur narrative ; l'ouverture devient l'adjuvant de la conquête, inscrite elle-même dans un programme narratif.

Fait alors retour un tiers jusque-là resté dans l'ombre, et pourtant décisif : le personnage, ce prince charmant qui réveille le château endormi. Il introduit comme une vectorisation des lieux et de l'espace dès lors qu'ils vont se lire par rapport à lui. Si, dans *la Noire de...*, la villa des patrons, avec son jet d'eau, apparaît comme belle et fascinante, cette valeur « locative » résulte d'abord du regard de Diouana : c'est elle qui voit la villa ainsi[6]. De plus, articulé sur le sème /richesse/, ce trait participe à la construction de deux espaces antinomiques, les quartiers indigène et européen, sur la base de l'opposition « pauvreté *vs* richesse », constitutive, elle, de l'espace narratif. L'appartenance de Diouana à l'univers social des démunis justifie la fascination dont elle est victime. De la même manière l'opposition structurale et générique entre l'Europe et l'Afrique se lit par rapport à l'héroïne. Pour les patrons ce clivage n'a pas de sens : Dakar n'est pour eux qu'un appendice d'Antibes.

De cette entrée en scène du personnage résultent deux conséquences : d'une part l'espace narratif se construit dans sa relation au personnage, d'autre part il affiche une nette mobilité structurelle et sémantique qui l'ouvre sur la pluralité.

Dans cette perspective on peut se demander si l'idée d'*un* système de l'espace narratif propre à tel ou tel récit ne serait pas une utopie, voire une erreur. Ne conviendrait-il pas de parler, par exemple, de l'espace de Diouana et de celui des patrons ? Qu'est-ce qui, dans l'élaboration de la topographie, autorisait à choisir l'opposition « Europe/Afrique » plutôt qu'une représentation où Antibes et Dakar se seraient fondues en une seule unité, quelque chose comme l'espace du (néo)colonisateur ? Convient-il même de nécessairement choisir ? L'analyste est-il, en dernier recours, renvoyé à sa propre subjectivité ou peut-il espérer plus de rationalité ?

De prime abord et de manière intuitive quelques données s'offrent en réponse. Ecarter la visée singulative au profit d'une pluralité de représentations satisferait certes à la règle de complexité apparente du récit, mais qu'est-ce qui en retour contrôlerait cette multiplication ? La démarche analytique ne s'épuiserait-elle pas dans une sorte de quête d'exhaustivité descriptive ? De plus une

---

6. On se trouve ici en face d'un principe d'échange : la valeur attribuée au lieu est en même temps trait constitutif du personnage ; pour Diouana le rêve d'une France mythique s'alimente à ce luxe.

question ne manquerait pas de faire retour : comment ces divers « espaces » cohabitent-ils au sein du film ? Entretiennent-ils des relations ? De quel ordre ? Faut-il opter pour une topographie dominante, considérée comme plus importante que les autres par rapport aux objectifs et au niveau de l'analyse ? Un principe de subordination serait ainsi requis. Une autre voie consisterait à choisir la structure descriptive la plus englobante. Assurément réunir dans un seul et même espace, sous l'emblème du (néo)colonisateur, Antibes et Dakar, reviendrait à ignorer le clivage constitutif de *la Noire de...*

En fait, il semble possible d'articuler ces questions. Pour cela la diversité des espaces narratifs, en liaison directe avec la diversité des personnages et de leurs programmes, donnerait lieu à plusieurs représentations structurelles : l'une pour Diouana, l'autre pour les patrons, une troisième pour la mère, une quatrième pour le fiancé, etc. Serait ainsi soulignée la pluralité des espaces narratifs ; resterait à les articuler. A l'évidence les deux derniers s'intègrent dans le plus vaste espace de l'Afrique dont ils forment l'un des constituants. Le principe du plus vaste ensemble est ici requis.

L'espace des patrons, lui, fait de Dakar un appendice de la France ; pour eux le clivage n'a aucun sens puisqu'ils sont chez eux, là-bas aussi, du moins jusqu'au décès de Diouana. La visite rendue à la mère, la longue marche dans le quartier « indigène », font entrer dans l'univers du patron un espace qu'il ignorait jusquelà. Le clivage devient une réalité pour lui aussi, mais avec un jeu de valeurs inverses de celles de l'héroïne.

Précisément cette double présence d'une structure antinomique commune aux deux personnages associée à une exacte inversion des valeurs caractérise l'espace narratif de *la Noire de...* Il souligne l'écart radical qui sépare la bonne de ses maîtres.

Toutefois il ne s'agit là que de l'état final. En réalité, l'espace narratif du film offre plus de richesse et de complexité dès lors qu'il s'inscrit dans la temporalité du récit, car, contrairement à ce que l'abstraction pourrait laisser entendre, le jeu structurel est susceptible d'évolution. Et celle-ci donne la mesure du sens.

Ainsi jusqu'au décès de l'héroïne, le récit met en

place un espace propre à Diouana, l'autre à ses maîtres : nulle communication entre les deux. En faisant de Dakar une sorte d'excroissance de la France, les patrons refusent à leur bonne à la fois son identité et son indépendance ; elle est niée en tant que sujet historique. Aucun échange n'est possible. Isolée, coupée de sa terre, Diouana ne peut que vivre douloureusement son propre clivage spatial qui demeure, lui, constant tout au long du récit.

Inversement, après le suicide, alors que le patron se rend dans la famille de la disparue, l'ordre spatial se transforme. Sous l'effet des épreuves (parcours pédestre du quartier, colère froide des parents, mépris de la mère, poursuite par l'enfant-masque, etc.), « Monsieur » prend conscience de l'authenticité, de la réalité, d'un espace africain qui lui apparaît alors comme étranger et autonome, comme enfin disjoint de la France. Il vit à son tour l'expérience du clivage, et par là reconnaît malgré lui l'existence de l'Autre en tant que sujet. Le geste de Diouana, parce qu'il est à l'origine de cette mutation, prend sa véritable signification : il s'ouvre sur l'affirmation d'une souveraineté. C'est donc ici l'articulation de deux systèmes évolutifs qui engage à la fois l'espace narratif du film et les effets de sens qui en découlent.

A partir de ce retour rapide sur *la Noire de...* et des questions qui l'accompagnent, quelques remarques récapitulatives s'imposent :

1) Alors que les lieux sont des données immédiates du film (au plan iconique comme à celui du verbal, voire du musical), l'espace est à construire par une opération de sélection de traits pertinents, ancrés sur les valeurs locatives.

2) Si le modèle ainsi obtenu peut répondre à divers principes, en régime fictionnel, le personnage, en tant que figure de polarisation, joue un rôle déterminant dans les opérations de sélection.

3) Sur cette dernière base, rien ne s'oppose à la mise en œuvre de plusieurs modèles d'agencement spatial correspondant aux divers personnages du récit.

4) Dans un second temps, la mise en relation de ces diverses structures (par subordination, complémentarité,

opposition, parallèle, symétrie, etc.) dessinera une configuration générale de l'espace narratif propre à chaque récit.

Ainsi indépendamment des contraintes qui lui sont spécifiques, l'espace, en tant que modèle abstrait, en tant que figure structurelle engageant le fonctionnement narratif fictionnel, trouve sa nécessité dans la relation qu'il entretient avec le personnage. Si bien que l'on peut envisager diverses situations-types qui seraient comme autant de noyaux narratifs.

Configurations nucléaires

En fait, deux ordres de relations seraient à distinguer ; l'une de ces relations, plus immédiatement lisible, repose sur un échange : parce qu'ils sont porteurs de valeurs, personnages et lieux vont rétroagir l'un sur l'autre. Ainsi le franchissement d'un lieu interdit produit une valeur « transgression » rapportée à celui qui accomplit cette action. L'autre, moins immédiatement lisible, est à construire par l'analyste. Elle caractérise les rapports entre un sujet et un objet, sur la base d'une opération jonctive dont les termes antithétiques sont la disjonction et la conjonction. On devine que les configurations nucléaires, parce qu'elles visent à l'abstraction, explorent plutôt ce second ordre de relation.

Le sujet

On l'aura remarqué, au terme « personnage » on a substitué celui de « sujet » dont la polysémie appelle quelques précisions.

Ce choix marque un changement de niveau descriptif : alors que « personnage » renvoie à la structure textuelle de surface, « sujet » installe l'analyse dans l'immanence, rejoignant en cela l'opposition entre « lieu » et « espace ». La démarche s'assimile à celle de Greimas lorsqu'il substitue, en structure profonde, l'actant au personnage. Point de hasard à cela. Le « sujet » représentera aussi pour nous la figure actantielle engagée dans le programme narratif ; en cela se justifie sa relation privilégiée avec l'« objet ». Instance abstraite, elle pourra s'actualiser sous les formes les plus variées [7] pour entrer dans l'univers diégétique. Toutefois, si elle reste prépondérante au plan de l'énoncé, à cette valeur fonctionnelle ne saurait se réduire le sujet car dans le rapport, qui nécessairement s'instaure, à l'espace (en tant que figuration iconique et verbale, comme dans le processus de construction abstraite qu'il suscite) le sujet spectatoriel n'est jamais bien loin. S'agissant ici d'analyser les configurations nucléaires qui structurent la fable des films négro-africains, c'est avec son premier sens que le terme sera convoqué.

LA COMBINATOIRE ÉLÉMENTAIRE

« Sujet » et « espace » (en position actantielle d'« objet ») sont donc les deux éléments constitutifs des cellules structurelles. Combinés suivant la règle jonctive et inscrits dans un parcours narratif, ils donnent lieu à deux figures fondamentales :

a) $S \cap E \longrightarrow S \cup E$
b) $S \cup E \longrightarrow S \cap E$

En *a)*, initialement conjoint (signe : $\cap$) à l'espace, le sujet se trouve en fin de parcours disjoint (signe : $\cup$) de ce même espace.

En *b)* se réalise l'itinéraire inverse. A un procès d'exclusion répond un procès d'intégration.

Cependant, et le moindre regard sur un corpus quelque peu étendu en administre l'évidence, ce double parcours tisse des mailles trop lâches. Aussi est-il nécessaire d'introduire une variable nouvelle pour rendre la combinatoire plus complexe et plus opérante. Elle concerne le nombre d'éléments : ils varient théoriquement de 0 à n, néanmoins on considérera comme seules pertinentes les positions : 0, 1, 2 et n.

La prise en compe du 0 (soit 0 sujet, soit 0 espace) assurément, offre quelque paradoxe puisque la cellule structurelle se définissait par la présence et la relation de deux éléments au moins. C'est que, sans ajouter véri-

---

7. Y compris, par exemple, la voix toute seule, comme il arrive (hors du corpus africain) dans *Son nom de Venise dans Calcutta désert*, de Marguerite Duras.

tablement à la combinatoire, ce nombre permet de préciser quelques questions propres au film narratif. Ainsi tout fait filmique, en raison de la spécificité du médium, suppose la présence d'un espace, fût-il indéterminé, lâche, inarticulé ou insaisissable comme totalité : l'image photographique est toujours représentation de l'espace profilmique[8]. A l'inverse le sujet, du moins défini comme rôle actantiel (car il peut toujours se déporter du côté du sujet spectatoriel), n'a rien de nécessaire : nombre de films documentaires centrés sur des paysages ou des lieux particuliers en administrent la preuve.

De cette manière, et *a contrario*, apparaît la condition nécessaire à l'émergence du film narratif : il suppose la mise en relation d'au moins un sujet et un espace.

Quant à la position 2, bien qu'elle soit déjà inscrite dans le pluriel, elle se justifie sitôt qu'elle rend compte d'une situation narrative connue : celle du sujet clivé, dont on précisera ultérieurement les caractéristiques.

Par ailleurs, au sein d'un même récit peuvent se rencontrer à la fois n sujets et n espaces. Toutefois on ne peut se demander si cette situation ne correspond pas en réalité à une simple addition de relations singulatives (G. Genette à propos des récits itératifs avait rencontré un phénomène semblable) : plusieurs sujets coprésents ayant chacun son (ou ses) espace (s).

En effet la distinction entre les relations à un ou n sujets (y compris la position 2) ne semble pas toujours structurellement pertinente : une combinaison associant deux sujets à deux espaces (2 S, 2 E) peut se ramener en fait à une double relation entre un sujet et un espace : (2 S, 2 E) = 2 (1 S, 1 E). Il convient donc de distinguer soigneusement les combinaisons structurellement pertinentes (parce qu'elles renvoient à des modes de fonctionnement narratif différents) et celles qui résultent de l'addition ou de la multiplication d'une même figure de base. Certes, à propos de tel ou tel film particulier,

---

8. De nombreux films expérimentaux offrent une représentation photographique de l'espace sans qu'il entre nécessairement (en raison, par exemple, d'un travail de morcellement systématique) dans des modes d'organisation narrative.

il ne sera pas indifférent de noter s'il s'organise suivant une structure unique et singulative ou suivant le redoublement ou le triplement de cette même structure, mais la perspective analytique change alors d'orientation.

Le tableau suivant récapitule la combinatoire théoriquement possible :

sujet \ espace	0	1	2	n
0	non récit non film 1	film non narratif 2	film non narratif 3	film non narratif 4
1	récit non filmique 5	film narratif 6	film narratif (sujet clivé) 7	film narratif (quête) 8
2	récit non filmique 9	addition 10	addition 11	addition 12
n	récit non filmique 13	addition 14	addition 15	addition 16

Il apparaît que la case 1, ne mettant en jeu ni sujet ni espace, exclut tout récit, filmique ou non. Les cases 2, 3 et 4, en l'absence du sujet renvoient à un cinéma non narratif, tandis que 5, 9 et 13 pourraient éventuellement concerner un récit mais, par absence de l'espace, il serait non filmique. En 10, 11, 12, 14, 15 et 16 les combinaisons résultent de la multiplication d'autres figures structurelles. En fait, dans l'optique du cinéma narratif, seules les cases 6, 7 et 8 renvoient à des relations structurellement pertinentes ; la dernière s'actualisant plus communément dans le récit de quête. Ce sont elles qui seront à la base des matrices topographiques dont l'approche peut enfin débuter.

Les matrices topographiques

Tout récit filmique, au niveau de l'énoncé et du contenu de sa fable, engage un mode de structuration spatiale dont les figures élémentaires fondent l'intelligibilité narrative. A l'origine des particularités organisationnelles de chaque film, elles apparaissent bien comme des matrices, au double sens du terme. La première d'entre elles, la plus simple, met en rapport un espace et un sujet.

1. LE SINGULATIF (1 S, 1 E)

A première vue, ainsi qu'on l'a noté plus haut, deux parcours à transformation seulement paraissent devoir se développer dont l'un aboutit à une exclusion, l'autre à une intégration :

$$[S \cap E \longrightarrow S \cup E]$$
$$[S \cup E \longrightarrow S \cap E]$$

Cependant, compte tenu de la nature particulière de cet actant « objet » qu'est l'espace (ensemble complexe de valeurs et de traits constitutifs, susceptible lui-même d'évolution), divers facteurs interviennent, qui permettent un jeu relationnel plus riche. D'une part, le changement d'état pourra affecter soit l'espace, soit le sujet (et bien entendu les deux) ; d'autre part entre en compte l'origine spatiale de ce dernier : il appartient déjà ou non à l'espace « objet ».

a) *Sujet autochtone*

A cette situation renvoient de nombreux récits où se raconte l'histoire de l'homme et de son milieu. Que le CNA, dans sa volonté de réappropriation culturelle, y fasse largement recours ne surprendra guère. Il ne sera pas inutile non plus de se demander si les deux parcours possibles sont traités de façon égale ou non.

Une précision préalable s'impose encore. Sitôt que l'on quitte le niveau de l'abstraction — où les modèles affichent leur unité et homogénéité théoriques — pour aborder les films dans leur réalité textuelle, très rares sont les récits où une seule matrice est mise en jeu. Dans la plupart des cas on se trouve en présence de plusieurs d'entre elles, jouant dans la successivité ou selon des règles d'articulation plus complexes, avec, néanmoins et généralement, une dominante.

Ainsi en est-il de *Kodou* qui actualise majoritairement et de façon exemplaire le parcours conduisant de l'exclusion à l'intégration, ou plus précisément à la réintégration, puisqu'une partie du film raconte aussi l'origine de la mise à l'écart. Dès le début le sujet est donné comme disjoint de l'espace dont il est natif (S U E) : la découverte de l'héroïne, chevilles et mains ligotées, isolée au fond d'une case, dit explicitement la rupture avec l'espace social. Les dernières images, en revanche, montrent Kodou de retour au village, soutenue et fêtée par sa famille : la réintégration est acquise. En fait le parcours complet effectué par le sujet, et suivant la temporalité fictionnelle, a lieu en deux temps : la jeune fille apparaît d'abord comme conjointe à l'espace villageois (*cf.* la scène édénique du tressage dans la cour), la disjonction se produit ensuite, lors de la cérémonie de tatouage. Un premier moment de la fiction motive donc l'exclusion, à partir de quoi s'amorce le processus de réintégration. Néanmoins on notera que c'est au moyen d'un « flash-back » que cet épisode sera représenté, comme s'il était saisi au sein du parcours essentiel qui va de l'exclusion (les premières images) à la réintégration finale.

C'est pour ne pas avoir fait sienne l'une des valeurs de l'espace social (le courage devant l'épreuve) que l'accès au monde adulte sera refusé à Kodou. Elle est bannie de l'espace communautaire, renvoyée à la solitude d'un sujet individuel. Il lui appartient d'être engagée dans un processus de transformation (l'hôpital psychiatrique, le rituel de guérison) si elle souhaite sa réinsertion dans le cercle villageois. Le parcours tracé par le film conduit donc un sujet autochtone de l'exclusion à l'intégration grâce au faire transformateur qui l'affecte.

De ce modèle structurel participent d'autres films comme *Baks* — les délinquants sous la pression des forces sociales (la police) vont faire leurs les valeurs de l'espace et s'intégrer dans la société —, comme *la Femme au couteau* — grâce à l'amour retrouvé et aux transformations qu'il opère sur lui, le héros se réinsère dans l'espace social —, comme *Sous le signe du vodoun* où le héros après être parti en ville et n'avoir connu que des déboires réintègre son village, non sans avoir sacrifié au vodoum, c'est-à-dire après une transformation individuelle.

Si dans ces quelques exemples le faire transformateur exercé sur le sujet se traduisait par une acquisition de valeurs (celles nécessaires à l'intégration), il arrive que cela se fasse au contraire au prix d'une perte (généralement à caractère matériel) : Borom Sarret retourne chez lui sans sa charrette, plus démuni qu'avant, Cabascabo ayant perdu argent et amis rentre au village, la daba sur l'épaule.

On notera dans ces exemples (qui n'ont aucune prétention au recensement exhaustif) que le faire transformateur affecte le sujet. C'est à lui de s'adapter à son espace. Les valeurs du groupe et de la communauté demeurent inchangées et les forces de conservation sont prépondérantes.

Quelques films, beaucoup plus rares, font jouer au contraire une transformation de l'espace. Ainsi *Adja-tio* où la législation moderne en prenant le contre-pied du droit coutumier permet à l'héroïne d'échapper à la spoliation et de s'intégrer plus harmonieusement dans le nouvel ordre social. Néanmoins le sujet, totalement passif, n'a aucune part dans cette modification ; il se contente de bénéficier d'un nouvel état de fait résultant, lui, d'un conflit entre deux types d'espaces. L'ordre social est à nouveau préservé ; il sort même renforcé puisqu'il offre au sujet une meilleure insertion.

L'exemple de *Finyé* est plus intéressant. D'une part le sujet est à la fois collectif (les lycéens) et individuel (Batrou, Bâ, le grand-père), d'autre part il est disjoint brutalement de l'espace : Bâ ne peut acquérir le baccalauréat à cause d'un ordre venu d'en haut ; le grand-père, en raison de sa lignée et des dangers qu'elle pourrait faire peser, est marginalisé par le pouvoir militaire. Pour résorber cette disjonction, le sujet entreprend une transformation de l'espace : la grève, les épreuves, les manifestations visent à changer l'ordre existant, à promouvoir de nouvelles valeurs. Parce qu'il est actif, c'est-à-dire à l'origine des mutations en cours, le sujet accomplit sur l'espace un faire transformateur qui devient un geste éminemment politique.

Toutefois on ne saurait en déduire trop hâtivement que tout parcours narratif accompli dans ces conditions suffit à donner au récit une dimension politique. *Ablakon* en administre la contre-épreuve. Dès son retour au village le héros et son acolyte entreprennent de sortir la communauté paysanne de son ignorance, de l'ouvrir aux valeurs modernes et, sous ce prétexte, de l'escroquer en bonne et due forme[9]. L'entreprise est sur le point de réussir lorsqu'au dernier moment un rival malheureux vient les dénoncer. Le processus d'intégration (adjuvant ici d'une autre quête qui est celle de l'escroquerie) se développe grâce à la transformation des valeurs villageoises. Aucune « conscientisation », aucune lutte de libération, aucun procès idéologique dans cette « aventure » : le récit se situe sur le registre du comique, comme du reste le retournement final et parfaitement convenu le dit sans ambiguïté.

Le modèle structurel ne saurait donc avoir de valeur sémantique particulière. Peut-être un examen attentif, sur un corpus étendu et diversifié, ferait-il apparaître au mieux une relation privilégiée entre telle option structurelle et une fonction idéologique dominante. Pour ce qui concerne le CNA, on constate assez majoritairement que le parcours qui vise l'intégration d'un sujet autochtone suppose préférentiellement une transformation de celui-ci. Les valeurs de l'espace d'accueil demeurent globalement inchangées et sont reconnues par le sujet lui-même comme « désirables » ; l'intégration couronne alors un programme « réussi ».

Mais un chemin inverse peut être suivi, au terme duquel le sujet se trouve disjoint de son propre espace (S $\cap$ E $\longrightarrow$ S $\cup$ E). A un moindre degré d'abstraction et au plan de la fable, cela se manifeste le plus souvent

---

9. Une question néanmoins se pose : le héros est-il allogène ou autochtone ? Certes il est natif du village (c'est à ce titre qu'il est accueilli chaleureusement et qu'il peut faire autorité) mais en même temps il est porteur de valeurs radicalement différentes, appartenant à l'espace citadin.

par un acte de rejet de la part du groupe à l'encontre de l'individu. C'est du moins la figure la plus courante au sein du CNA. Fait peut-être exception à cela *Niaye* où le griot témoin de la décadence des mœurs (inceste, assassinat, usurpation de trône) quitte son village (avant d'y revenir plus tard). La disjonction résulte ici d'un choix accompli par le sujet.

Dans *Mouna ou le rêve d'un artiste*, le sculpteur, sous la pression des difficultés grandissantes (familiales et sociales), finit par perdre la raison et se voit rejeté de la société dans laquelle il n'a pu trouver sa place. Dans *Cinq jours d'une vie* le héros, après l'apprentissage de l'enfance, l'initiation et l'entrée dans le monde adulte (autant d'épreuves réussies jusque-là), se heurte lui aussi à des difficultés telles qu'elles vont le conduire au vol et à la délinquance. Il est disjoint de son espace après une première période heureuse. Dans *Muna moto*, en dépit de ses efforts et de sa volonté tenace, le héros sera exclu de l'espace communautaire : la contrainte de la dot fait obstacle à son mariage, le conduit jusqu'à son arrestation par la police.

Dans cette trajectoire, comme dans les deux précédentes, le sujet désire s'intégrer mais l'espace, sans le rejeter explicitement, lui rend la tâche quasi impossible. On devine aisément qu'à travers cela se donne à lire une critique de l'ordre social, soit qu'il ne fasse pas la place voulue aux artistes, soit qu'il ne permette pas à un homme d'éducation traditionnelle et coranique de s'insérer ou qu'il produise une injustice insupportable à l'endroit des plus démunis. L'itinéraire du sujet est posé en termes d'échec imputable à l'espace.

Inversement dans l'*Exilé*, *Dalokan* ou *le Wazzou polygame*, on assiste à une exclusion véritable du sujet par le groupe. Que celui-là ait failli à sa parole (*l'Exilé*, *Dalokan*) ou qu'il ait commis un crime (*le Wazzou polygame*), il a enfreint les valeurs reconnues de son espace d'appartenance et il doit en être banni ; quitte à ce qu'il entreprenne ensuite un faire « rédempteur » comme dans *Kodou* ou *l'Exilé*.

Ce parcours narratif, en dépit de son orientation inverse, rejoint le précédent (de l'exclusion à l'intégration par transformation du sujet) en ce sens qu'il préserve les valeurs spatiales données comme stables et inaliénables. Une nuance cependant serait à noter : l'exclusion du sujet par le groupe peut être présentée comme injuste alors que la question ne semble pas se poser en ces termes dans le cas de l'intégration.

On n'aura pas manqué, non plus, de remarquer un glissement terminologique : les mots « exclusion » et « intégration » se sont substitués rapidement aux termes « disjonction » et « conjonction », dans le même temps qu'ils se chargeaient de valeurs sémantiques à dominante positive ou négative. C'est que du modèle abstrait on est passé à des formes actualisées, lesquelles s'articulent directement sur les effets de sens.

Il arrive aussi qu'une transformation de l'espace soit à l'origine de l'exclusion du sujet. On a déjà rencontré un exemple caractéristique de cela avec *le Mandat*. Si le vieux Dieng est perdu dans le labyrinthe « administrato-citadin », c'est que depuis les Indépendances ces bien des valeurs traditionnelles ont disparu ; l'espace a subi une mutation que le sujet ignore. Le changement s'est produit ici sous la pression d'une force anonyme, néanmoins articulée sur l'ère coloniale, et qui aurait pour nom générique la modernité : en témoigne la forme de circulation monétaire. Le mandat n'a guère à voir avec une économie de troc ou avec la relation commerciale fondée sur le contact individuel (*cf.* la scène avec l'épicier).

Assez curieusement le CNA semble avoir omis l'actualisation d'une situation théoriquement existante : celle d'un sujet autochtone disjoint d'un espace qu'il aurait lui-même transformé ; celle d'un sujet victime de son propre faire transformateur.

Pourtant nombre de scénarios de la vie politique africaine pourraient en fournir le modèle. L'Histoire récente est assez riche de ces chefs d'État qui, tout en transformant l'espace politique pour installer leur pouvoir personnel, préparent en fait le lit de Procuste ; destitués, ils sont les victimes involontaires du système qu'ils ont mis en place. Peut-être *En résidence surveillée* abonderait-il dans ce sens mais, d'une part, le président reste malgré tout à son poste, d'autre part et surtout, la fragilité de son pouvoir résulte aussi bien des forces extérieures qu'intérieures.

La quasi-absence de récits actualisant un modèle pourtant attestable au plan théorique ne va pas sans poser quelques questions. Faut-il voir là une limite de la fonction spéculaire assignée au cinéma ? A montrer certaines fables, le miroir ne courrait-il pas le risque de se briser ? A moins que le modèle structurel, trop simple, ne rende pas compte d'un drame beaucoup plus complexe : l'instauration et la destitution des pouvoirs personnels ont toujours impliqué, depuis les Indépendances, l'intervention occulte ou avouée des forces extérieures. La relation du sujet à l'espace n'est plus alors singulative puisqu'elle fait intervenir un second espace au moins. La question reviendra un peu plus loin avec *Ceddo*.

Les rapports du sujet autochtone à son propre espace, qu'ils empruntent le parcours qui mène à l'intégration ou celui qui conduit à l'exclusion, offrent une assez grande variété de figures. Toutefois une tendance paraît devoir se dégager au sein du CNA (encore que pareille assertion soit à formuler avec prudence) : les valeurs de l'espace qui sont celles du groupe social sont moins souvent mises en cause que le sujet lui-même. C'est majoritairement à lui de s'adapter ou de payer le prix de ses erreurs. Il engage rarement un faire transformateur appliqué à son espace d'appartenance. Serait-ce là le signe d'une posture fondamentalement conservatrice ? Si la réponse ne va pas de soi, la question, elle, peut se poser.

b) *Sujet allogène*

Une autre figure narrative fort courante, peut-être plus fondamentalement dramatique puisqu'elle est déjà en elle-même un « événement », consiste en la rencontre d'un espace et d'un sujet allogène. Situation archétypique du western (l'étranger qui surgit dans la ville), elle trouve à se réinvestir, avec ses particularités propres, dans le cinéma négro-africain.

Précisément une première particularité provient de la difficulté à définir le sujet allogène. Convient-il de recourir à des codes extra-narratifs : ascendance familiale, appartenance ethnique, lieu de naissance, etc. ? Mais on définit alors moins le sujet que le personnage. Par référence à l'espace en tant que système de relations et ensemble de valeurs, on pourrait considérer comme allogène le sujet qui ne fait pas siennes les valeurs de l'espace dans lequel il est inclus. Deux objections surgissent aussitôt : convient-il qu'il ne fasse sienne *aucune* valeur ? Le sujet autochtone contestataire doit-il être considéré comme allogène ? Le CNA particulièrement fait difficulté sur ce point en raison des problèmes d'acculturation. Le sujet acculturé qui retourne dans son pays est-il allogène ou autochtone ? Il ne partage plus guère les valeurs de son espace, néanmoins il est « chez lui ».

Envisagée seulement dans la perspective de l'abstraction, la question risque d'appeler des réponses réductrices ; si l'on prend en compte la dimension textuelle (en ce point où le « sujet » rejoint le « personnage ») il en va différemment. En effet, sitôt que l'espace est donné comme fortement socialisé (ainsi qu'il en va dans notre corpus), l'extranéité se pose dans une double relation : celle du sujet et du groupe. Celui-ci reconnaît ou non celui-là comme sien, qui en retour se reconnaît ou non dans les valeurs de la communauté. Ainsi se résout la question de l'acculturation : si le groupe et le sujet font de l'appartenance familiale, ethnique, nationale ou continentale une valeur fondamentale, ce trait l'emportera sur les composantes culturelles.

D'une façon plus générale, au sein des récits, les espaces présents définissent des ensembles (ville, village, concession, état, etc.) par rapport auxquels se spécifie l'extranéité. Dans *Kodou*, par exemple, le vendeur de pain est perçu comme étranger car il n'appartient pas au village de l'héroïne ; dans *la Noire de...* c'est la non-africanité des patrons qui en fait des étrangers.

Une dernière particularité doit enfin être mentionnée, en rapport cette fois-ci avec le problème des parcours narratifs. L'allogène étant par définition disjoint de l'espace, la situation initiale ne peut être que : $S \cup E$; pour lui l'alternative suppose soit le maintien (ou l'accentuation) de sa disjonction ($S \cup E \longrightarrow S \cup E$), soit son intégration ($S \cup E \longrightarrow S \cap E$).

Comédie exotique offre du premier cas un bon exemple (bien que le film s'organise non à partir d'une mais de deux matrices topographiques). Stéphane, un jeune réalisateur européen, se rend en pays Sénoufo pour y tourner un documentaire sur les masques sacrés. Pour des raisons à la fois idéologiques (le mythe de l'authenticité) et pratiques (contraintes technologiques du filmage), il tente de modifier l'espace villageois et de le faire correspondre à l'idée qu'il s'en fait. La vengeance finale du masque consacrera son échec : il n'aura pu s'approprier symboliquement le monde traditionnel. Un faire transformateur — non abouti — vise ici l'espace. Une situation similaire se rencontre dans *le Destin*. Le jeune instituteur venu de la ville non seulement ne se conforme pas aux valeurs du village, mais encore il les bafoue. Son rejet par la communauté sanctionnera un tel comportement.

Dans *l'Homme d'ailleurs* ou *Pawéogo*, c'est au contraire le sujet qui tente sa propre transformation afin de s'intégrer dans l'espace nouveau. Différences culturelles trop fortes dans un cas (le héros confronté à la société japonaise), exploitation économique dans l'autre (l'absence de qualification voue l'émigré-paysan au chômage endémique de la grande capitale) seront les causes principales de l'échec.

Au faire « déplacement » (donné comme déjà effectué ou actualisé par le récit) qu'implique la constitution de tout sujet allogène (il vient nécessairement d'ailleurs) à quoi s'ajoute généralement l'échec de sa tentative d'intégration, on aura reconnu là le noyau narratif caractéristique des films sur l'immigration, dont *Soleil O* de Med Hondo ou *Nationalité : Immigré* et *Safrana* de Sydney Sokhona sont les exemples canoniques.

Le parcours qui conduit à la conjonction s'actualise, lui, dans un assez grand nombre de films, soit comme matrice centrale, soit en combinaison avec d'autres, donnant lieu à une réelle diversité de figurations.

De manière quasi allégorique *Wend Kuuni* dit l'intégration réussie de l'allogène. Un jeune enfant muet, venu d'on ne sait où, est recueilli par tout un village. Certes les valeurs d'hospitalité et de solidarité sont là pour faire oublier à l'enfant son statut d'étranger, certes son amitié avec une fillette de son âge nourrira sa vie affective, mais dans le même temps, il acquiert peu à peu les valeurs fondamentales de la communauté, accomplissant une transformation progressive et régulière que sanctionne, à la fin, sa parole retrouvée. Le passage de la disjonction à la conjonction a lieu ici par la transformation du sujet.

Pareil modèle en fait se trouve mis en jeu à travers l'un des schèmes narratifs les plus convenus du CNA : la transformation que doit subir le (ou la) villageois(e) lorsqu'il (elle) arrive en ville et souhaite s'intégrer dans ce nouvel univers. Dans *Les Tams-tams se sont tus*, *Notre fille* ou encore *FVVA*, *Amanié* et *Prix de la liberté*, toute une galerie de personnages (majoritairement féminins) se constitue, qui caricature, le plus souvent, le désir d'occidentalisation : perruque, teint éclairci, jupes courtes, talons hauts, etc., sont alors les signes de la transformation que paraît exiger l'univers citadin.

Mais l'arrivée de l'étranger, bien souvent, va se traduire par une transformation de l'espace ; et l'on voit se dessiner en filigrane la figure familière du colonisateur. Rien d'étonnant à ce que les films « historiques » évoqués au chapitre précédent recourent au modèle du sujet allogène conjoint à l'espace par transformation et appropriation de celui-ci. De *Ceddo* à *Si les cavaliers...* en passant par *la Chapelle*, *Emitaï* ou *Jom*, l'étranger est là qui modifie l'espace social antérieur.

Parce qu'il fait référence à un passé attesté (et donc difficilement « contournable »), ce cas particulier de figuration a pour corollaire le choix d'un point de vue. Avec l'envahisseur, le récit met en scène non plus un mais deux sujets aux prises avec le même espace : l'un vise à transformer ce dernier, l'autre tente de le préserver. Dans la stricte perspective du programme narratif, l'étranger apparaît comme le véritable sujet, l'autochtone comme un anti-sujet. Mais l'on conçoit qu'une telle représentation soit idéologiquement irrecevable pour le CNA.

En fait deux programmes concurrentiels sont présents ; l'un ayant pour objet l'appropriation de l'espace (S ∪ E ⟶ S ∩ E), celui du colonisateur, l'autre s'engage dans un faire de « résistance » destiné à maintenir l'intégrité spatiale (S ∩ E ⟶ S ∩ E). L'opposant à la conquête doit devenir le véritable héros ; dès lors se multiplieront les marques textuelles positives à son égard.

Ceddo illustre parfaitement ce principe. Au terme d'une lutte à la fois violente et sournoise, l'imam finit par imposer sa loi sur le territoire. Les ceddos, ces hommes libres, en dépit de leur farouche résistance sont vaincus, et nombre d'entre eux rejoignent la cohorte des talibés. Le programme narratif de la conquête est accompli ; le sujet passe de la disjonction initiale à la conjonction finale. Mais le film montre en même temps la lutte du peuple (programme « résistance) qu'incarne, après le meurtre du roi, la princesse Dior Yacine. Dans un geste ultime elle tuera l'imam, sans que pour autant cela modifie les véritables rapports de force ; néanmoins elle signifie ainsi le refus d'obéissance et appelle à des révoltes futures. L'acte de résistance s'en trouve valorisé.

C'est d'un principe similaire que s'inspirent *Si les cavaliers...*, *Emitaï* et *Jom*. Avec *la Chapelle* le parti pris consistera plutôt à tourner en ridicule les actes du colonisateur. Mais dans tous les cas il s'agit, par des opérations engagées au niveau textuel, d'écarter le spectateur de toute identification avec un sujet idéologiquement inacceptable.

En revanche dans *le Nouveau Venu*, *Baara* ou *les Coopérants* c'est le sujet allogène qui, dans sa quête de transformation de l'espace, sera le héros positif. Dans les trois films son intervention a pour tâche principale d'introduire de nouvelles valeurs au sein du monde du travail.

Le film de Médeiros relate les problèmes auxquels un jeune cadre se trouve confronté lorsqu'il s'engage dans la restructuration des services administratifs. Bousculant les habitudes, suscitant la jalousie des anciens, freinant les pratiques népotiques, il voit se dresser de multiples opposants à sa quête. Toutefois, après un affrontement très vif, il arrivera à ses fins. Dans la même veine se situe la fable des *Coopérants*. On quitte toutefois l'univers urbain au profit d'un retour à la campagne. Un groupe de jeunes citadins se rend dans un village afin d'aider les habitants dans leurs tâches quotidiennes grâce à l'apport de pratiques plus rationnelles. Là aussi le sujet allogène parvient au terme de sa mission et contribue à la transformation de l'espace.

Baara, quant à lui, répond au même modèle tout en produisant une variante importante. En effet le jeune ingénieur, refusant de jouer le rôle d'allié du patronat, s'intègre au monde ouvrier. Allogène par rapport à cet espace, il le transforme en favorisant la prise de conscience. Sa disparition brutale (il devenait « gênant » pour le pouvoir économique et politique) sera alors l'occasion pour les ouvriers de poursuivre eux-mêmes les luttes afin de changer l'ordre établi. Le sujet allogène contribue ici à faire du sujet autochtone l'agent de son propre faire transformateur.

Sujet autochtone ou allogène, transformation de l'espace ou du sujet, double parcours narratif, ces trois couples permettent de faire jouer la matrice fondamentale (1S, 1E) sous diverses figurations qui, toutes, à quelque degré, s'inscrivent dans la production négro-africaine et rendent compte de l'interrogation dominante qui la traverse, celle du rapport de l'homme à son environnement social, avec, en filigrane, diverses postures idéologiques implicites. Toutefois on pourrait se demander si une figure n'a pas été omise, et dont le CNA fait pourtant grand usage ; celle de l'initiation.

Dans *Fadjal*, par exemple, lorsque le grand-père s'adresse aux enfants pour leur raconter le passé villageois, il entreprend un faire éducatif qui vise à les intégrer — grâce à leur savoir nouveau — dans la communauté des adultes. Le sujet « enfant » autochtone subit une transformation qui active sa conjonction avec l'espace traditionnel. Comment doit-on considérer, en termes de parcours narratif, la situation initiale des enfants : S ∩ E ou S ∪ E ? Ils ne sont pas disjoints de l'espace communautaire (précisément le vieillard s'occupe de leur éducation), ils ne sont pas conjoints non plus puisque le récit du passé a pour but de favoriser leur intégration. On se trouve bien en présence de la situation propre à l'initiation dans les structures sociales traditionnelles. Faut-il alors envisager une situation initiale « neutre » (ni conjoint, ni disjoint) qui pourrait se symboliser ainsi : S // E ? Faut-il considérer qu'il y aurait deux sous-espaces dans la communauté : celui de l'enfance, celui des adultes, l'initiation ayant pour but de disjoindre une conjonction première (celle de l'enfance) pour établir une conjonction nouvelle, celle des adultes $(S \cap E_1 \longrightarrow S \cup E_1 ; S \cup E_2 \longrightarrow S \cap E_2)$? La réponse sera probablement à trouver au sein des récits particuliers, suivant que le travail d'éducation sera donné comme progressif ou qu'il supposera des étapes fortement marquées et privilégiées. Au reste, à travers ses multiples productions, le CNA paraît marquer une nette prédilection pour cette seconde solution.

1. LE SUJET CLIVÉ (1S, 2E)

Que la confrontation de deux espaces antagonistes se rencontre dans un très grand nombre de films du CNA ne saurait surprendre ; le stéréotype du conflit entre la tradition et la modernité, si présent dans ce cinéma, passe aussi par la mise en place de lieux spécifiques et antinomiques. Toutefois on se gardera de confondre ce qui relève de l'organisation narrative d'un film et ce qui caractérise la matrice topographique.

Ainsi *Contrast-City* [10] se structure à partir des oppositions « présent/passé », « Europe/Afrique », lisibles dans le référent qu'est la ville de Dakar. La confrontation de deux espaces fait le propos même du film ; cependant le sujet, comme actant d'un programme narratif, en est absent [11]. Cette même absence se retouve dans *Silence et feux de brousse*. Précisément c'est elle qui rend impossible l'articulation de ces deux films sur un modèle matriciel, celui-ci se caractérisant par la relation (et donc la présence) d'un sujet à l'espace.

D'une autre manière *le Médecin de Gafiré*, qui oppose l'espace de la médecine traditionnelle (avec le sorcier-guérisseur) à celui de la médecine moderne (et le jeune docteur, son représentant), ne saurait renvoyer à la

---

10. Donné apparemment comme un film documentaire sur la ville de Dakar, ce court métrage organise très librement sa thématique en affichant (en particulier par le recours à une voix « off » fortement subjective) un ton personnel et humoristique.

11. Toutefois, une analyse détaillée ferait apparaître un déplacement du « sujet » vers la voix off. Un sujet se constitue là sans entrer néanmoins dans un programme narratif.

matrice du sujet clivé. On est en présence de deux programmes narratifs conflictuels, chacun renvoyant à une relation singulative (1S, 1E). L'organisation du film repose en fait sur le dédoublement antinomique d'une même matrice. Pas davantage ne saurait convenir *Muna moto*, par exemple, où le héros est pourtant confronté à l'espace rural ainsi qu'à l'espace urbain. Cette confrontation s'inscrit dans la succession temporelle : un conflit succède à l'autre, chacun renvoyant à la même matrice singulative.

Une condition impérative doit donc être remplie pour qu'émerge la matrice du clivage : que le sujet (en tant qu'actant) soit en conjonction *simultanée* avec au moins deux espaces antinomiques. En outre cette dualité doit être inscrite dans un programme narratif dont elle sera une composante majeure, car nombre de films mettent en scène des personnages « clivés », et non des sujets. Ainsi, pour revenir à l'exemple d'*Ablakon*, le héros affiche bien une double appartenance : au village par sa filiation et son enfance, à l'Occident par son apparence (tenue vestimentaire, activités et propos), mais il s'agit ici de jouer de ce « clivage » pour engager une quête de spoliation. La dualité sert alors d'adjuvant. Il en va de même avec Henriette, l'un des personnages de *FVVA* : ses allures d'occidentalisée lui permettront d'acquérir un mari.

Le sujet « clivé » est, lui, lancé dans une quête dont la dualité constitue le fondement essentiel, qu'il s'agisse de la recherche d'une identité culturelle ou d'une tentative de résorption des contradictions. Largement liée à la figure de l'acculturation, cette matrice apparaît alors comme caractéristique du CNA.

En théorie deux parcours sont envisageables : l'instauration du clivage ou sa résorption. Contrairement au domaine littéraire où la formation du « métissage » est souvent évoquée (*cf. l'Aventure ambiguë* de Cheik Hamidou Kane), il semble que le CNA ait plutôt développé les difficultés issues de l'acculturation. Fait peut-être exception à cela *la Noire de...* ainsi qu'on le verra. Le processus de résorption lui-même, et toujours de façon théorique, passe lui aussi par deux cheminements. Le premier procède par ablation : l'un des deux espaces est éliminé, le second par intégration : soit qu'une sorte de symbiose des valeurs antithétiques s'instaure, soit que l'un des deux se subordonne à l'autre qui l'englobe, ainsi que le figurent les diagrammes suivants :

E_1 E_2 E_1 E_2 E_1 E_2 E_1 / E_2

a) *la naissance du clivage*

On le sait l'itinéraire de Diouana, l'héroïne de *La Noire de...* débouche sur le suicide. Or ce geste fatal résulte, pour une large part, du clivage vécu par le sujet et dont le film montre à la fois la mise en place, le développement et l'achèvement tragique.

Les premiers signes de la scissiparité apparaissent pour être aussitôt estompés : le travail chez les « blancs » (source de disjonction) se manifeste d'abord par une explosion de joie. Ce n'est qu'ultérieurement, lorsque, seule à Antibes, Diouana se remémore la scène, qu'elle prend conscience de son exclusion. Le traitement en « flash-back » de cet épisode condense, pour le spectateur, les deux temps (passé, présent) et lui rend parfaitement sensible la disjonction. C'est bien un sujet « clivé » dont le film raconte l'histoire puisque l'héroïne vit douloureusement son présent de solitude, accentué et réactivé par les réminiscences du passé heureux. Au reste, Diouana vit une double déchirure : avant son voyage, Dakar lui paraît misérable au regard de la France dont elle rêve ; depuis Antibes, elle se réfugie dans le rêve dakarois. Précisément la conscience de cette contradiction et la douleur qui en résulte conduisent l'héroïne à une brutale résolution du conflit : par son suicide elle supprime la relation dysphorique du sujet au double espace.

b) *Le clivage comme source d'échec*

On a vu précédemment comment, au niveau du film,

le geste de Diouana prenait une valeur symbolique : il est à l'origine d'une prise de conscience et d'une reconnaissance, par le patron, de l'identité africaine. Grâce à l'épilogue filmique le geste suicidaire se convertit positivement.

Mais le plus souvent dans le CNA la scissiparité est présentée comme une source d'échec. *Cabascabo* et *Sarzan* en sont l'illustration caractéristique. Les deux héros, anciens militaires ayant combattu pour la France, retournent chez eux, mais ils ne seront pas acceptés. Le premier se nourrit des illusions qu'il entretient avec son argent ; redevenu pauvre, il est exclu et retourne au travail de la terre ; le second, lui, devant les difficultés qu'il rencontre sombre dans la folie. Le parcours narratif consomme alors la disjonction spatiale. Tout se passe comme si l'homogénéité de l'espace désiré s'opposait à l'intégration d'un sujet ayant une double appartenance.

c) *L'amputation*

L'une des solutions consiste alors à procéder par élimination. Le sujet s'ampute d'un des deux espaces dont il est porteur afin d'entrer en accord avec le monde auquel il désire appartenir. C'est ce que montre de manière allégorique *Boubou-cravate* ainsi qu'on l'a vu au chapitre précédent. Le diplomate, après avoir tenté une fausse synthèse (le boubou et la cravate) retourne vers son espace originel et se débarrasse de son occidentalisation grâce à la cérémonie symbolique d'initiation. L'africanité devient pour lui la valeur fondatrice, grâce à laquelle, comme tout le laisse à penser, il s'intégrera dans son espace quotidien.

De manière quelque peu différente c'est aussi l'attitude de Mita dans *Comédie exotique*. Jeune étudiant en France, ancré dans le monde moderne, il opte résolument pour l'espace traditionnel sous l'effet du conflit qui l'oppose au réalisateur français. Il se fera même le défenseur acharné des valeurs ancestrales. Sous la pression des circonstances, les éventuelles contradictions de sa double appartenance culturelle s'évanouissent. C'est de façon plus radicale encore que dans *Et la neige n'était plus* le héros résout son propre clivage en reniant brusquement et définitivement son occidentalisation. Si bien que Paulin Vieyra[12] évoque longuement les réactions très controversées du public et des critiques devant cette solution brutale et perçue comme non satisfaisante.

d) *Les tentatives d'intégration*

A ces réponses radicales, certains films préféreront une thérapie plus douce. Le sujet essaie parfois de résoudre la contradiction par une synthèse. Il conjoint, au moins partiellement, les deux espaces dont il est porteur. Dans *A banna*, le couple citadin, en vacances au village natal, va certes rencontrer des difficultés en raison des jalousies qu'il suscite, mais progressivement, parce qu'il accepte certaines valeurs de la tradition sans pour autant renier sa propre « modernité », il parviendra à une relative harmonie sans trop de déchirements et sans amputation.

Avec *Djeli* le principe serait plutôt celui de l'intégration : l'espace de la modernité est donné comme englobant, même si la tradition fait encore obstacle. La représentation de l'espace diégétique repose elle-même sur ce principe. Le village de Karamoko et Fanta, bien que fortement traditionnel dans sa structure et son architecture, accueille des composantes « occidentales » ; en témoigne la nouvelle villa que fait construire le père et qui n'obéit plus aux normes ancestrales. La modernité habite donc l'espace mais tout en restant contrôlée (la villa s'élève dans un quartier périphérique). Cette organisation de l'espace physique est à l'image de l'ordre social et moral : s'il n'est pas fermé aux influences occidentales, le père de Fanta ne renonce cependant pas aux principes anciens des castes. En leur nom il s'opposera au mariage. Toutefois le film, dans ses ultimes séquences, laisse entrevoir une possibilité de changement. Les valeurs de la modernité paraissent capables de faire évoluer les structures ancestrales, mais sans pour autant les renier ou les rejeter. C'est justement ce qu'incarne le personnage du frère aîné, en particulier lors de la pala-

12. Dans *Le cinéma africain*, Présence Africaine, 1975, pp. 172-177.

bre familiale. En ce sens elles sont englobantes et résolvent le traumatisme issu du clivage.

Depuis la scissiparité source d'échec et responsable de solutions radicales, il semble que le CNA avance vers une résorption progressive de la dualité. Faut-il voir là une trace de l'Histoire parcourue depuis les Indépendances ?

3. LA QUÊTE (1S, n E)

Si la simultanéité caractérise le rapport entre les espaces vécus par le sujet « clivé », la succession sera, elle, à l'origine d'une autre matrice où le sujet est confronté à une pluralité d'espaces. Le modèle archétypique lui correspondant se trouve notamment dans le récit de quête. Si l'oralité et particulièrement le conte affichent, dans le contexte culturel africain, une nette prédilection pour ce type d'agencement, paradoxalement le cinéma y recourt beaucoup plus rarement. Peu de films en effet fondent leur organisation sur ce modèle.

En revanche, sous une forme dégradée, il se rencontre communément : le trajet qui conduit le paysan du village à la ville pour y trouver de meilleures conditions de vie répond partiellement au modèle de la quête. Déplacements, étapes, finalité, ces composantes de base y sont actualisées. Toutefois cela ne suffit pas toujours, et les conditions d'émergence du modèle matriciel doivent être cernées avec précision.

Pour cela et parmi quelques films susceptibles de répondre à ce mode d'organisation : *Ilombé, le Mandat, le Certificat d'indigence, l'Exilé* ou *Touki-Bouki*, c'est aux deux derniers essentiellement que l'on se référera en raison de leur exemplarité.

a) *Principes*

Si la pluralité des espaces contribue à la spécifier, ce trait purement numérique ne suffit pas à fonder la matrice de la quête, encore faut-il que cette pluralité réponde à un ordre. Celui-ci, semble-t-il, se place sous l'autorité de l'itinéraire, tel que défini : un point de départ et un point d'arrivée qui tracent une trajectoire, entre les deux un parcours constitué d'étapes vectorisées par cette même trajectoire. Un principe de solidarité interne unit ainsi ces divers espaces et, de plus, leur assigne une fonctionnalité particulière.

Chacun d'eux est nécessaire au déroulement de l'itinéraire et à la poursuite du parcours : le faire « déplacement » du sujet n'est que le préalable à un autre faire caractérisé par l'acquisition (positive ou négative) de valeurs. Chaque espace est le lieu d'un faire lui-même articulé sur ce projet qu'est l'itinéraire. A la différence des précédents, et compte tenu de ses caractéristiques, le modèle matriciel de la quête intervient essentiellement sur l'axe syntagmatique du récit.

b) *Fonctionnement*

L'acte inaugural correspond précisément à la première fonction dégagée par Propp [13] : l'éloignement. La quête s'instaure sur une disjonction du sujet et de son espace originel.

Dans *l'Exilé* un long prologue prépare cette rupture : au terme de l'année écoulée et parce qu'il ne tient pas la promesse faite à la veille de son mariage, le héros est contraint de fuir avec son épouse. Dans *Touki-Bouki* la procédure adoptée affiche une autre singularité puisque la disjonction s'effectue sur un raccord de plans (celui qui unit les plans 17 et 18) [14]. A l'espace de l'enfance (espace originel par excellence) succède celui de la ville et du monde adulte. Mory se trouve comme catapulté dans un autre univers. C'est encore cette fonction d'éloignement qui conduit le vieux Dieng hors de chez lui.

Avec l'éviction de l'espace primitif commence le parcours : les déplacements du sujet le conduisent d'un espace à un autre où s'effectue chaque fois un faire « acquisition ».

S'il désire progresser vers le terme assigné le sujet

---

13. *Morphologie du conte, op. cit.*

14. Ce raccord longuement analysé par Monique Cresci (*Communication audiovisuelle*, n° 5, p. 146), réunit dans la succession des deux plans la représentation du héros-enfant et la représentation du héros-adulte, chevauchant sa moto pétaradante.

doit répéter avec succès, à chaque étape, un programme jonctif. Le récit se symbolise alors ainsi :

conjonction initiale	éloignement	épreuves	conjonction finale
$S \cap E_1$ - - →	$S \cup E_1$	($S \cup E_2 \to S \cap E_2 \to S \cup E_2$; $S \cup E_3 \to S \cap E_3 \to S E_3$;...)	$S \cap E_1$ ou $S \cap E_n$

La conjonction finale (avec l'espace originel ou un nouvel espace) ne s'établit qu'après le succès des conjonctions partielles, elles-mêmes immédiatement suivies d'une disjonction puis d'un déplacement, et ce jusqu'au terme.

Indépendamment des quelques stations lors des longs trajets, deux espaces d'acquisition jalonnent l'itinéraire de Sadou et de son épouse dans *l'Exilé*. Cherchant l'ombre et le repos, les deux « voyageurs » se sont assis par ignorance sous l'arbre sacré d'un génie : la mort guette Sadou. Pour prix de sa délivrance, il devra prendre pour seconde épouse la fille du féticheur. Ce « gain » paraît avoir été plus imposé que souhaité. C'est que la véritable acquisition est ailleurs : en dépit des difficultés, Sadou a su tenir sa promesse. Au cours de la seconde étape, non seulement il acquerra une troisième épouse mais encore il accédera au trône de son nouveau pays ; l'une et l'autre étant la rançon de la parole donnée et tenue. Les deux espaces-étapes (bien que culturellement et socialement différents) sont l'occasion pour Sadou de réapprendre la valeur d'une promesse et d'accéder ainsi à la véritable noblesse.

Dans *Touki-Bouki*, chaque étape s'inscrit dans la perspective du départ pour la France. Espaces de la chance (au bord du ruisseau où Mory découvre les fétiches porte-bonheur), du jeu clandestin (Mory parie gros et perd), du vol (les arènes sont moins le théâtre d'un concours de lutte que l'occasion de s'emparer d'une malle qui se révélera vide), se caractérisent par leur fonctionnalité : ils sont porteurs des valeurs matérielles qui permettraient l'embarquement. Cependant l'échec par quoi chacun se traduit fait surgir un autre espace, celui de la conjecture : sur la plage, Mory et Anta réfléchissent au moyen de se procurer encore l'argent nécessaire. Un second espace de vol (réussi celui-ci) se dessine avec la scène à la villa de Charlie (connotée comme un lieu marginal fait de luxe et d'oisiveté). L'acquisition de biens divers (argent, vêtements, voiture) permet alors l'embarquement.

Qu'il s'agisse de *l'Exilé* ou de *Touki-Bouki*, une analyse plus détaillée montrerait, et il s'agit là d'une caractéristique centrale, que la fonctionnalité des espaces d'acquisition engage leur mode de figuration : seront actualisées les composantes et les valeurs locatives nécessaires à l'épreuve d'acquisition. Du premier village où séjourne Sadou ne seront retenues que les données en relation avec le pouvoir du féticheur d'une part, le mariage avec sa fille d'autre part. Tout se passe comme si la nature des objets à acquérir et des épreuves à accomplir dessinait des schèmes homogénéisants pour la représentation de l'espace.

Le terme de l'itinéraire, lui, répond à un nombre limité de situations-types qui dépendent de deux facteurs : l'opération jonctive et l'espace d'arrivée.

Si, parvenu au terme de ses épreuves, le héros établit la conjonction avec l'espace désiré, la quête se placera sous le signe de la réussite, inversement une disjonction finale atteste le plus souvent un échec. D'autre part l'espace d'arrivée pourra rejoindre celui du départ (récit en boucle) ou au contraire être complètement différent.

Cependant, parce qu'il articule des niveaux de fonctionnement multiples, tout récit peut proposer des issues plus complexes. Ainsi en va-t-il de *l'Exilé*. Ayant conquis le trône, Sadou achève son itinéraire sur une conjonction avec un espace différent de celui du départ. Mais bientôt, pour éviter à son peuple une famine épouvantable, il se sacrifie et s'immole aux divinités. Il accomplit alors le geste qui, dans d'autres conditions, était initialement exigé de lui. Symboliquement, il retourne à son espace d'origine.

Touki-Bouki propose un autre type de final. Arrivé au pied de la passerelle, le couple « Mory-Anta » se dissout : elle embarque sur le paquebot, lui renonce. Tout laisse entendre qu'Anta accomplira d'ici peu la jonction avec l'espace tant désiré de la France. Pour Mory un brusque changement transmute l'espace désiré : à Paris se substitue l'Afrique de l'enfance. Le héros établit alors la conjonction avec l'espace primitif et retourne vers ses origines. A la quête première du mirage européen (qui s'achève sur un échec) se substitue en fait une autre quête, celle de l'enfance et de l'enracinement culturel, réussie elle.

Le modèle matriciel de la quête offre deux caractéristiques notables. A la différence des deux autres, c'est moins une combinatoire d'ordre paradigmatique qu'une gestion du syntagmatique qu'il propose. En ce sens il programme les rapports du sujet à l'espace tout en les inscrivant dans l'ordre temporel. De cela découle partiellement la seconde caractéristique : tout récit, dès lors qu'il suppose une transformation permettant de passer d'un état initial à une situation finale, recourt en quelque manière, éventuellement sous des formes extrêmement dégradées, à ce modèle. Peut-être faut-il voir alors en la fonctionnalité des espaces d'épreuves le trait véritablement fondateur de cette matrice ?

Sous l'explicite de ses récits, à travers leur diversité thématique et figurative, le CNA raconte une histoire fondamentale, celle de l'homme et de son rapport au monde social. Recherche d'une identité et ressourcement culturel s'y lisent en filigrane. La relation du sujet à l'espace devient donc la question centrale et pour cela trois noyaux structurels (les matrices topographiques) seront mobilisés, répétés d'un film à l'autre. Certes tout cinéma, quelle que soit son aire culturelle, les met en jeu lui aussi, mais l'usage systématique qu'en fait le CNA ainsi que la fréquence du sujet clivé paraissent déjà caractéristiques de ce cinéma et assurent une part de sa spécificité.

Toutefois celle-ci doit moins à la fréquence des formes matricielles qu'aux fonctionnements narratifs à l'origine desquels elles se trouvent. Rares sont les films qui recourent à la permanence d'une seule et même matrice topographique. Le plus souvent c'est une combinaison, au besoin fondée sur la répétition et la multiplication, qui fonde l'agencement particulier de chaque film et met en jeu une fonctionnalité narrative singulière, peut-être plus spécifique du CNA.

Ce que le prochain chapitre aura pour tâche d'examiner.

AGENCEMENT TEXTUEL ET ÉCONOMIE NARRATIVE

En tant que modèles construits par l'analyse, les matrices topographiques appartiennent à la structure abstraite du récit filmique (elles relèvent donc de l'immanence textuelle), et chacune, avec ses variantes possibles, demande donc à être saisie à travers ses particularités distinctives. Figures nucléaires, elles seront alors réinvesties dans le film (en tant qu'organisation complexe et singulière) sous la forme d'un matériau narratif de base et suivant une grande liberté d'agencement.

Toutefois, l'examen d'un corpus particulier le montre, cette liberté se résorbe, par le jeu des réitérations, en un ensemble de configurations-types assez peu nombreuses. L'activité combinatoire, dont les cases 10, 11, 12, 14, 15 et 16 du tableau précédent donnaient une première idée, répond à quelques principes essentiels tout en autorisant les organisations narratives propres à chaque film. Il s'agit donc moins ici de saisir les modèles structuraux que de repérer ce qui, au niveau de leur actualisation textuelle et à partir des phénomènes de récurrences, présente un caractère de généralité. L'analyse se déporte de l'immanence vers les structures de surface afin de voir comment l'ordre spatial, jusqu'ici envisagé sous le seul angle structurel, intervient dans l'économie narrative des films et s'il détermine quelques particularités qui seraient spécifiques du corpus de référence.

Matrices topographiques

A l'exception du modèle de la quête (mais cela ne surprendra pas puisqu'il gère déjà le déroulement narratif, qu'il a déjà prise sur le syngtagmatique) rares sont les films, particulièrement les longs métrages, qui se fondent sur une seule figure matricielle ; au plan de la manifestation, la combinaison et l'hétérogénéité sont les réponses apportées aux nécessités qu'impose le déroulement syntagmatique.

Principe de la successivité

L'une des solutions consiste à dérouler tout au long du récit une succession de parcours narratifs articulés sur une seule ou sur plusieurs matrices. L'un ne débutant qu'après l'extinction de l'autre.

N'Diangane en fournira une bonne illustration. Mame, fils de petit paysan pauvre, est confié par ses parents aux bons soins de Sérigne Moussa, un marabout qui tient une école coranique. L'enfant vit alors une série d'épreuves très dures. Après une tentative de fuite, il sera ramené auprès du marabout qui le confie à son propre fils. Ce dernier, parti en ville pour chercher du travail, rançonne véritablement les trois talibés mis à sa disposition. Alors qu'il mendie dans les rues, Mame est victime d'un accident et meurt à l'hôpital. Le corps n'ayant pas été réclamé, il servira à l'expérimentation médicale.

Essentiellement centré sur l'itinéraire du jeune enfant, le film met en jeu la matrice singulative (1 S, 1 E) : le sujet, sous la pression de diverses forces, se voit contraint de s'intégrer à l'espace coranique. Si le parcours idéal que les parents et le marabout assignent à l'enfant peut se traduire ainsi S $\cup$ E $\longrightarrow$ S $\cap$ E, les péripéties narratives issues du refus de Mame vont amener une succession de variations.

Une disjonction initiale introduit le déséquilibre dont le récit a besoin pour démarrer : soustrait à l'espace villageois, l'enfant est conduit par son père chez le marabout : S $\cap$ E$_1$ $\longrightarrow$ S $\cup$ E$_1$; S $\cup$ E$_2$ $\longrightarrow$ S $\cap$ E$_2$.

Le filme s'attarde longuement sur ce premier

moment, en soulignant le bonheur qu'éprouve Mame auprès des siens et dans son espace originel. A l'évidence, pareil développement ne répond pas aux seules contraintes actionnelles. Les jeux des enfants dans la rizière, le voyage en compagnie du père, développent le sème /euphorie/ qui contrastera avec la dysphorie généralisée à venir. De plus ce long préambule place en « incrustation » des scènes où le père et la mère manifestent leur peine devant l'obligation qui leur est faite de se séparer de Mame. La sécheresse et la pauvreté en sont les causes directes et impératives. La disjonction initiale, bien qu'inscrite dans la logique du programme narratif, développe en fait la relation du sujet à l'espace originel euphorique, en dépit des conditions de vie difficiles.

Confié à Sérigne Moussa, l'enfant subit un ensemble d'épreuves vécues douloureusement ; il s'enfuit et retourne chez lui, auprès de sa mère : $S \cap E_2 \longrightarrow S \cup E_2 \longrightarrow S \cap E_1$. Cette fuite intervient comme le point d'aboutissement d'une longue et pénible initiation à un espace hostile, où punitions, brimades, exploitation, injustices et hypocrisie sont les valeurs dominantes.

Un second moment du film commence après une seule nuit passée au village : le père ramène l'enfant chez le marabout. L'agencement structurel de ce deuxième temps répète le précédent $(S \cap E_1 \longrightarrow S \cup E_1 ; S \cup E_2 \longrightarrow S \cap E_2)$ avec toutefois une variante importante : Mame est confié ensuite par le marabout à son propre fils qui le conduit à Dakar $(S \cap E_2 \longrightarrow S \cup E_2 \longrightarrow S \cap E_3)$. Un second espace dysphorique se répète pour l'enfant, avec une plus grande intensité dramatique puisque Mame y trouvera la mort. A l'espace rural du premier temps du récit, succède l'espace citadin. Une sensible différence sur le plan sémantique en découle, tandis qu'au niveau structurel on assiste à une exacte duplication. Par le redoublement du modèle narratif un nouvel espace est donné à lire.

Disjoint de son espace originel dès le début, refusant la conjonction attendue de lui, Mame, à la fin du film, subit une disjonction radicale et définitive : il ne sera intégré à aucun espace. Son corps étant livré à la médecine, la mort ne sera même pas l'occasion d'un retour chez les siens.

Fondé sur un modèle matriciel constant, *N'Diangane* structure son déroulement syntagmatique sur le principe de la succession et de la répétition au niveau des parcours narratifs.

De cet exemple s'induisent quelques remarques que l'on peut étendre aux narrations fondées sur le principe de la successivité. Tout d'abord un tel mode d'agencement accentue, sans conteste, la linéarité du récit dès lors que le sujet se confronte certes à plusieurs espaces mais l'un après l'autre. La temporalité y joue, semble-t-il, un rôle de première importance, si bien que l'espace, en tant que paramètre constitutif du récit, en serait comme minoré. Mais c'est là une vue réductrice ; le premier moment du film le prouve puisque le long préambule développe parfaitement le rapport du sujet à l'espace. C'est qu'en réalité la temporalité n'intervient de façon dominante qu'au plan de l'ordre ; la durée, elle [1], se convertit en exploration spatiale et fait de ce dernier paramètre la composante essentielle. Chaque moment du programme narratif ne débutant qu'après épuisement du précédent, le récit, en dépit des contraintes d'ordre, reste libre de le développer à discrétion, de moduler le rythme général de la narration en procédant par scènes, par sommaires, voire par ellipses.

S'ils entretiennent des rapports privilégiés avec la matrice singulative, le principe de successivité et la linéarisation qui en découlent ne sont pas incompatibles avec les deux autres. Le modèle de la quête lui-même ne fait-il pas de ce principe une donnée constitutive ? A tel point qu'on pourrait se demander où se situe sa spécificité. Elle serait à chercher dans le principe « additionnel » : point de quête·aboutie sans l'addition d'un certain nombre d'épreuves réussies et au cours desquelles l'espace se caractérise, ainsi qu'on l'a déjà suggéré, par sa fonctionnalité (il permet l'acquisition de valeurs). En ce sens et en raison du refus constant du sujet Mame.

---

1. On fait référence ici aux distinctions introduites par Gérard Genette dans *Figures III (op. cit.)*, entre ordre, durée et fréquence.

N'Diangane apparaît exemplairement comme une contre-quête.

Quant au modèle du sujet clivé, conformément à la règle de simultanéité qui le spécifie, il serait plus difficilement compatible. Pourtant l'agencement narratif d'un film comme *Sarzan* (avec son héros « clivé ») repose sur le principe de la successivité. C'est qu'en réalité la simultanéité concerne seulement l'appartenance du sujet à un double espace et ne présume en rien l'ordre des événements issus de cette bipolarisation. Sarzan tente de s'intégrer à l'espace villageois en même temps qu'il veut le transformer : le conflit qui en résulte passera par une distribution, sur l'axe syntagmatique, d'épreuves successives.

Assurément la linéarisation qui résulte du principe de successivité (confortée par la polarisation sur un sujet central) favorise la lisibilité du texte : l'agencement narratif et l'ordre des événements diégétiques en allant de conserve facilitent le stockage et le traitement de l'information par le lecteur-spectateur. De plus l'identification secondaire sur un sujet omniprésent, cause et résultante de l'activité événementielle, joue sans contraintes. Dans la perspective d'un cinéma « miroir », où l'acte de raconter est constitutivement un acte de monstration du référent, et d'un cinéma à visée didactique, on conçoit que ce type d'organisation narrative soit largement usité.

Toutefois on ne manquera pas de noter (dès lors que la fonction spéculaire est convoquée) une forte contradiction. Ces récits fondés sur un sujet central dont on suit les péripéties font, le plus souvent, de l'individu un héros. Or l'une des valeurs archétypiques revendiquées comme authentiquement africaines dans l'ordre social (dans le monde de référence donc) est celle du groupe. Les lois du récit ne sont pas celles du monde quotidien dont celui-là pourtant prétend rendre compte. On verra plus loin quelles réponses reçoit cette objection.

Principe de la simultanéité

Sitôt que plusieurs sujets entrent dans une même narration, la successivité doit se doubler (voire se contrarier) d'une organisation « simultanéiste » : la trame se compose de plusieurs fils qu'il s'agit d'entrecroiser. L'activité combinatoire s'enrichit et, les points de vue se multipliant, l'espace diégétique bien souvent s'en trouvera parcouru avec plus de constance.

L'une des combinaisons élémentaires consiste en l'affrontement de deux sujets. Chacun est, dans ce cas, l'anti-sujet de l'autre, mais l'alternance des points de vue maintient distincts et conflictuels les deux programmes narratifs. Sur ce modèle s'organise le déroulement du *Médecin de Gafiré*. Les deux adversaires, tour à tour, tentent d'imposer leur savoir-faire ; le film se transporte alors alternativement de l'antenne médicale à la case du féticheur avec pour enjeu les éventuels changements de valeurs qui affecteront l'espace villageois.

Tout en reposant sur des données structurelles similaires, l'organisation gagne parfois en complexité. C'est le cas de *Ceddo*. Au centre du récit, le programme de conquête du pays par l'imam ; articulés sur lui, deux programmes de « résistance », celui des ceddos, celui de la princesse Dior Yacine. Deux sujets, chacun jouant le rôle d'anti-sujet pour l'autre, sont en lutte pour un même espace. Toutefois, au niveau de la figuration, un dédoublement (les ceddos, la princesse) autorisera une démultiplication narrative, renforcée elle-même par ces « mini-programmes » que réalisent le négrier-trafiquant et le prêtre catholique.

Le film va alors jouer à la fois sur la successivité et la simultanéité. Après avoir été enlevée par l'un d'eux, la princesse prendra la suite des ceddos pour accomplir le geste de révolte final au cours duquel l'imam trouvera la mort. La double figuration du sujet introduit un double parcours narratif inscrit dans la succession. Inversement, alors que le récit débute, on suivra les activités du négrier et du prêtre simultanément à la mise en place des premiers signes de mécontentement des hommes libres. C'est encore la simultanéité qui permet de suivre les agissements souterrains de l'imam tandis que le roi tente de résoudre les difficultés qui l'assaillent.

Tout au long du film la fable sera abordée sous des perspectives différentes, et cette pluralité des points de vue, d'une part, désigne les divers niveaux où se joue le drame central, d'autre part et surtout, parcourt l'espace dans sa complexité. Celui-ci au plan diégétique apparaît alors comme un territoire, c'est-à-dire un espace placé sous l'autorité d'un pouvoir qui détermine les limites physiques du pays et institue (ou maintient) le système des valeurs sociales et individuelles.

Sur une structure du même ordre se fonde encore *Finyé*, avec peut-être une insistance plus grande sur quelques itinéraires individuels. Un programme principal, auquel se subordonnent les autres, met en place un sujet (à la fois collectif et individuel) autochtone, désireux de transformer son espace afin de mieux s'intégrer à lui : $S \cup E \longrightarrow S \cap E$. Il rencontre l'opposition violente d'un autre sujet (le gouverneur militaire) désireux, lui, de maintenir l'ordre existant : $S \cap E \longrightarrow S \cap E$. Sujet et anti-sujet se définissent par rapport au même objet qu'est l'espace social ; l'alternance des points de vue permet, là encore, de développer chacun des programmes.

Cependant au niveau de la figuration une forte et inégale diversification se développe. Le sujet du programme « conservation » s'incarne en la personne du gouverneur militaire, lui-même métonymie du pouvoir central que représente à son tour et sur la fin le ministre de l'Intérieur ; corollairement à cela les soldats seront les représentants métonymiques, mais vers l'aval, comme une sorte de prolongement tentaculaire, du gouverneur. Du ministre aux militaires en passant par le gouverneur, le même sujet, fortement structuré et hiérarchisé, se donne à lire, celui de l'ordre et du pouvoir.

Face à lui, le sujet « transformateur » reçoit, à mesure que le récit se développe, une très forte diversité de figurations : tout d'abord en la personne du jeune héros Bâ (après son échec au baccalauréat) suivi rapidement du groupe de militants lycéens et de Batrou, auxquels succède enfin la foule des manifestants. Parallèlement à cela d'autres personnages s'inscrivent dans un faire d'opposition mais sans pour autant viser une transformation de l'espace. Ils sont alors renvoyés vers une sorte de semi-clandestinité (la concession où se réunit le groupe des jeunes drogués, les agissements adultères de la dernière épouse du gouverneur). Reste enfin le cas du grand-père de Bâ dont l'évolution, plus tardive, sera néanmoins décisive.

Alors qu'elle s'intègre dans un même programme narratif (et qu'elle est donc structurellement répétitive) cette pluralité développe des parcours différents sur lesquels s'ancre la diversité.

Les premières images du film montrent Bâ en train de réviser pour son examen ; il fait part aussi de ses espoirs de réussite. Ce lycéen travailleur agit en conformité avec l'espace social et scolaire qui lui est assigné $(S \cap E)$; l'obtention du baccalauréat devrait permettre une intégration ultérieure dans le monde adulte. Or l'échec dont il est victime injustement va provoquer une disjonction par rapport à l'ordre social : $S \cap E \longrightarrow S \cup E$. A partir de là il entamera progressivement un faire visant une transformation de l'espace présent afin qu'une nouvelle conjonction devienne possible :

$$S \cup E \longrightarrow \text{transformation } E \longrightarrow S \cap E'$$

A l'inverse, le groupe des lycéens militants, saisi en activité autour de l'imprimerie clandestine, est donné immédiatement comme disjoint de l'espace social. Ils se définissent par leur lutte. Déjà engagés dans le conflit, ils pourront accueillir la révolte de Bâ.

L'itinéraire de Batrou l'amie de Bâ, lui, présente plus de complexité encore, du fait même de son espace d'appartenance. Fille du gouverneur, elle est sous la tutelle juridique, économique et culturelle d'un ordre qui est celui du pouvoir. Au reste, le début du film, notamment les déplacements sous la houlette d'un chauffeur et l'habitat dans une villa luxueuse, moderne et spacieuse, souligne le statut différent de Batrou par rapport à ses camarades du lycée. Elle appartient pleinement à l'espace social $(S \cap E)$. La disjonction se fera de manière plus « cahotique », avec des décisions suivies d'hésitations. Le contrôle qu'exerce le père (maître de l'espace privé comme de l'espace public) et sa violence ne lui facilitent guère la tâche. Ce n'est qu'au moment de la rafle des militaires qu'elle rompra avec ses origines. A partir de là, elle s'intègre totalement dans le programme narratif du faire « transformation ».

Parallèlement à la lutte et aux espoirs des jeunes

lycéens, un autre personnage subit (comme par contre-coup) une forte évolution : le grand-père de Bâ. Parce qu'il appartient à la lignée du pouvoir ancien, qu'il est le père d'un opposant (disparu) au régime actuel, il est marginalisé par un gouvernement qui le tolère avec peine. Il est donc dès le départ disjoint de l'espace social actuel. Il tentera de conserver, par un repli sur les valeurs familiales, cette situation attentiste de marginal. Mais l'internement de son petit-fils le conduit à entrer, lui aussi, en lutte contre le gouverneur ; il rejoint l'espace de ceux qui veulent transformer l'ordre, comme le montre l'une des dernières images alors qu'il « défile », mêlé aux jeunes manifestants.

De Bâ à son grand-père, en passant par Batrou et les lycéens, ces diverses figurations du sujet « transforma-teur » accomplissent certes le même parcours narratif, mais le jeu des différences dans l'actualisation autorise la diversité. Toutefois il ne s'agit pas ici d'une diversité ornementale destinée à rendre attrayant ce qui aurait pu être lassant par répétition.

L'organisation sur le principe de la simultanéité (les divers itinéraires sont donnés à voir en alternance), la multiplication des personnages qui, pour des raisons dif-férentes, répondent au même « vouloir », renforcée par les décalages chronologiques dans leur prise de cons-cience, tout cela produit un jeu narratif complexe qui souligne les enjeux et les conflits de l'espace social de référence.

Corrélativement une rigoureuse organisation des lieux apparaît dans *Finyé* avec un pôle dominant, la maison du gouverneur. Celle-ci, comme par un effet de dépla-cement — au sens freudien — est le lieu d'exercice de l'autorité. Le chef militaire et le chef de famille se con-fondent dans la même violence. La maison, espace privé et domestique, devient la scène où se montrent les valeurs de l'espace public ; elle est à elle seule ce micro-cosme au sein duquel se joue et se répète ce qui a lieu au niveau de la région.

Cependant cette fonction de mise en abîme qui lui est dévolue n'a pas seulement pour rôle de rendre plus lisibles les rapports conflictuels ou de souligner, par un effet de duplication, l'organisation textuelle[2], elle dit aussi et surtout qu'entre l'espace privé et l'espace public la distinction a été abolie par le pouvoir. C'est ce qu'indiquera explicitement la séquence au cours de laquelle les soldats poursuivent Batrou jusque dans l'enceinte d'une concession particulière. S'exerçant également en tous lieux, alignant l'ordre privé sur celui du public, ce pouvoir affiche son totalitarisme.

A travers la diversité des itinéraires, le jeu réglé des lieux et la complexité narrative qui en résulte, c'est l'image d'une collectivité aux prises avec ses contradictions conflictuelles, mais œuvrant à l'instauration d'un espace social habité de nouvelles valeurs, que donne à voir *Finyé*.

Et le recours à la simultanéité rend compte du déploiement spatial de la lutte. Certes chaque sujet « transformateur » n'est que le double structurel de chaque autre, mais chacun en sa particularité figurative apporte une perspective singulière au conflit. Un étonnant effet de miroir se donne alors à lire. La solidarité qui unit les divers personnages dans leur combat (signifié global du récit) n'aurait-elle pas une origine structurelle ? Tous ces personnages n'appartiennent-ils pas à une même *famille*, celle du sujet « transformateur », articulé lui-même sur la *matrice* topographique singulative ?

De l'exemple de ces quelques films peuvent s'induire plusieurs remarques générales.

A la trajectoire que propose le récit fondé sur la successivité, celui qui recourt à la simultanéité oppose plutôt un réseau centré sur quelques lignes de force mais qui, du fait même de la multiplicité de ses cheminements, donne à lire un espace complexe. Le héros de la fable est alors moins un individu qu'une collectivité. L'une des conséquences directes de cela vise le processus d'identification. Sous l'effet de l'éclatement figuratif du sujet, elle se fixe avec moins de constance et devient plus flottante. A la relative pression qu'exerce la linéarisation (au spectateur est proposé un cheminement pré-

2. Sur la fonction spéculaire et la mise en abîme, *cf.* l'ouvrage de Lucien Dallenbach : *Le récit spéculaire*, Seuil, 1976.

térentiel), le principe de la simultanéité répond par la plus grande liberté qu'il offre au spectateur.

En retour et en réponse à la volonté didactique qu'affiche volontiers le CNA, celle-ci sera parfois contrôlée au moyen de procédures spécifiques, ainsi qu'on le verra ultérieurement.

Ambivalence matricielle

Une troisième voie, plus rare il est vrai, consiste à jouer sur l'intégration simultanée du sujet à plusieurs types matriciels. Il en va ainsi de *Djeli* qui recourt à la fois à la matrice singulative et à celle du sujet clivé. Cette double appartenance ne saurait, en dépit des apparences, se confondre avec le mode de structuration évoqué à propos de *Sarzan* car le clivage du sujet engage ici à la fois l'organisation de l'espace et l'ordre syntagmatique.

Certes la matrice singulative est présente : *le* sujet, sous la double figuration de Fanta et Karamoko, entre dans *un* rapport conflictuel avec *l'*espace villageois, et les diverses phases de ce conflit seront largement traitées suivant le principe de la successivité ; mais elle s'articule aussi sur le modèle matriciel du clivage, déterminant ainsi la particularité et la richesse structurelle du film.

Le couple archétype « tradition/modernité » à partir duquel s'élabore la scissiparité du sujet (et l'argument événementiel du récit) ne répond plus, ainsi qu'on l'a déjà aperçu, aux seules règles d'un antagonisme simplificateur, même lorsqu'il paraît s'y conformer. Ainsi en va-t-il de l'ordre syntagmatique.

Le début du film (dans la capitale) et la fin (à l'hôpital) se placent sous le signe de la modernité et encadrent une longue plage narrative axée, elle, sur la tradition. Pourtant chaque moment conjugue en même temps des données du terme opposé, comme la présence (surdéterminée) de la musique mandingue au début, ou la visite à la villa neuve au cours de l'épisode villageois. Sur l'axe syntagmatique se distribuent alors non plus l'alternance d'éléments antagonistes mais les modulations d'une dominante. A l'antithèse se substitue le jeu des corrélations.

De cela résulte aussi l'organisation de l'espace diégétique. Au niveau de la topographie notamment. On l'a déjà vu, à la différence de ce qui a lieu dans de nombreux films du CNA, les espaces de la tradition et de la modernité ne sont pas ici donnés comme deux ensembles disjoints, autonomes et égaux, mais l'un est inclus dans l'autre (figure que redouble l'« encadrement » syntagmatique) ; le village, par de nombreux indices qu'une analyse détaillée devrait exhiber, apparaît comme une enclave au sein d'un espace tourné globalement vers la modernité. Il en subit du reste la poussée et s'entrouvre à son influence.

L'antagonisme de la tradition et de la modernité ne se pose alors plus, comme il advient le plus souvent dans le CNA, en termes d'exclusion mais en termes de cohabitation. Le film, par son discours implicite, désigne cette coprésence comme une réalité historique incontournable, susceptible de produire une dynamique. Celle-ci du reste est inscrite dans le récit suivant ses deux développements possibles.

Dans la trame narrative d'abord (la dynamique est donc celle-là même que produit le récit). Le refus et l'obstination du père, arc-bouté sur des valeurs ancestrales fondamentales à ses yeux, provoquent la tentative de suicide de Fanta. L'exclusive conduit à l'échec (tempéré il est vrai par l'ambiguïté du regard final qu'échangent le père et Karamoko). A travers le personnage de l'oncle ensuite. Convoqué seulement lors de la réunion familiale, il occupe dans la logique narrative une position marginale, mais le rôle de dépositaire de l'ordre moral qui lui est assigné en fait une figure de référence. Or il apparaît comme un personnage assurant la synthèse des valeurs antagonistes. En s'attardant sur les modalités du protocole ancestral (tenue vestimentaire, marche, ordre de préséance), le film souligne son respect des valeurs anciennes ; en lui prêtant des paroles de bon sens sur les nécessaires changements sociaux, il en fait un homme ouvert aux valeurs nouvelles.

L'ordre spatial (au niveau topographique comme à celui de la figuration), en refusant de jouer — par un recours à la relation d'exclusion — l'antagonisme de la modernité et de la tradition, déplace et relance une question fort convenue, qui a produit au sein du CNA bien des poncifs et des discours réducteurs. En ce sens *Djeli* affiche une nette singularité. C'est ce que par contraste montre *Adja-tio* lorsque, dans un souci de défense et de promotion de la modernité, il joue à nouveau sur la relation d'exclusion des termes antagonistes. Le déplacement opéré dans le discours attendu et convenu ne trouverait-il pas son origine dans l'ambivalence matricielle ?

De cette ambivalence, un autre film, *Touki-Bouki*, joue davantage encore puisqu'il se structure à partir de trois modèles matriciels. Suivant le principe singulatif, un sujet (à double figuration, Mory et Anta) se trouve disjoint de l'espace dakarois et le film, d'une certaine manière, raconte l'histoire de cette marginalisation sociale. Cependant la déambulation des deux héros vise un autre espace, rêvé et quasi mythique, celui de la France et sa capitale. Le sujet apparaît alors comme éminemment clivé : les valeurs qu'il désire sont celles de l'ailleurs, même s'il ne se départit pas (les cornes-trophée fixées sur le guidon de la moto en sont le signe ostensible) de son enracinement dans l'ici. Enfin l'itinéraire qui conduit Anta à s'embarquer sur l'Ancerville, Mory à revenir vers son espace originel, place le récit sous l'égide de la quête. Chaque étape s'inscrit dans la fonctionnalité d'un faire d'acquisition, comme on l'a vu plus haut.

Il importe de souligner l'intrication de ces trois modèles qui sont joués ensemble, si bien que le film, d'une part, recourt à une structuration complexe et, d'autre part, à travers les multiples corrélations qui en découlent, s'ouvre sur une intense polysémie. Probablement faut-il voir dans cette ambivalence, systématiquement travaillée, l'origine du refus assez généralisé dont le film a fait l'objet au moment de sa sortie. La forme discursive qui est la sienne se démarque très nettement de celles qui sont le plus communément répandues au sein du CNA.

Certes, il serait possible de repérer dans un assez grand nombre de films du corpus des plages structurellement ambivalentes, néanmoins les exemples de récits répondant dans leur totalité à ce principe demeurent encore assez rares. La complexité narrative, voire sémantique, qui paraît en résulter serait-elle peu compatible avec la volonté monstrative et didactique affichée par le CNA ? En dernier recours, ne serait-ce pas la position spectatorielle que l'ambivalence déplacerait par la perte d'instances internes de contrôle ? Assurément la question devra faire retour ultérieurement.

Scènes et déplacements : deux constantes

Successivité, simultanéité ou ambivalence, ces trois modes d'organisation narrative constituent en fait une réponse aux contraintes de l'axe syntagmatique. En tant que modèle, la matrice topographique relève de l'immanence textuelle et son actualisation ne peut se faire sans que soit mobilisé le déroulement filmique. Celui-ci, on le sait, impose deux grands types de contraintes : d'ordre et de durée [3]. Tout film suppose un ensemble de décisions quant à l'ordonnancement des séquences et des plans (laquelle est première ? laquelle est seconde ou dernière ?) ainsi qu'à leur durée. La successivité et la simultanéité, en tant que signifiés d'ordre (le signifiant — le défilement standard de la bande-images — est lui par nature successif), apparaissent alors comme deux grands principes régulateurs orientant les décisions.

La brève analyse de *N'Diangane* le laissait apparaître. Les différentes étapes du parcours narratif (ponctuées de disjonctions et de conjonctions) dessinaient un ordre de succession auquel répondaient aussi les divers syntagmes (la scène du retour au village vient après la séquence de la fuite).

C'est un ordonnancement semblable que gère l'organisation « simultanéiste ». Dans *Ceddo* la succession des scènes du négrier, du prêtre et de l'imam, tout en produisant un effet global de simultanéité temporelle, désigne les forces déstabilisatrices du pays. Cet effet de sens provient largement de leur place dans l'énoncé filmique :

---

3. A quoi, bien sûr, G. Genette ajoute la fréquence. D'une autre nature, celle-ci concerne moins directement notre propos.

tout de suite après le générique et avant que ne soit annoncé l'enlèvement de la princesse. Situées au début du film, non impliquées directement dans l'action, ces trois scènes prennent une valeur descriptive.

L'actualisation des matrices topographiques passe donc par des choix d'ordre syntagmatique et s'ouvre ainsi sur des problèmes d'économie narrative. Succession, simultanéité et ambivalence constituent des réponses à des questions de nature à la fois structurelle et syntagmatique, et déterminent de grands axes de vectorisation. Par leur degré de généralité, ces réponses ne sauraient certes renvoyer à une quelconque spécificité africaine ; elle relèvent d'abord de l'ordre narratif. Tout au plus peut-on penser (parce que ces trois modes d'actualisation répondent à une croissante complexité) qu'une ventilation des films en fonction de ces axes serait plus caractéristique. Chaque FESPACO[4] voit arriver encore son lot de récits fondés sur la structure la plus simple qui soit, celle d'une matrice singulative traitée sur le seul mode de la successivité.

En revanche, à un niveau de vectorisation de moindre portée (celui qui gère le passage de plan à plan au sein du segment), une constante apparaît comme plus nettement caractéristique : la fréquence des syntagmes traités sur le mode de la scène ainsi que les nombreuses séquences-liaison où les personnages se déplacent.

La scène

Le moindre regard attentif pourra aisément en faire le constat empirique. Un film comme *Kankamba* ne s'offre-t-il pas comme une juxtaposition de scènes successives, de temps à autre reliées par le trajet d'un personnage ? Certes il s'agit là d'un cas extrême, néanmoins révélateur d'une situation plus générale.

Ainsi un film, pourtant structurellement complexe, comme *Djeli*, en fait grand usage. Sur les 59 segments

---

4. Festival panafricain de cinéma de Ouagadougou. Il a lieu tous les deux ans et constitue une manifestation essentielle pour le cinéma africain.

autonomes que l'on peut répertorier, 30 sont des scènes ;
à quoi il convient d'ajouter quatre segments au statut
difficilement décidable (scène ou séquence ?) et quatre
plans-séquences pour lesquels la continuité est évidemment sans faille. Rien de surprenant, dira-t-on, dès lors
que l'argument narratif du film repose sur un interdit
de caste que seule la palabre pourrait lever.

Cependant *Finyé*, qui raconte les péripéties que l'on
sait, recourt lui aussi à la scène de manière constante :
sur les vingt-cinq premiers segments on n'en compte pas
moins de quinze. *Touki-Bouki*, en dépit de son montage
complexe, des pérégrinations aventureuses de ses héros
et de son traitement narratif peu orthodoxe, dispose tout
au long de son récit des scènes importantes dans la perspective du code actionnel (présentation d'Anta, rencontre amoureuse sur la falaise, découverte des fétiches, jeu
clandestin, altercation avec le policier, etc.) ou adjacen-
tes, comme les sènes du marchandage, du lavoir, du
mendiant ou des coopérants.

Seule une étude systématiquement conduite (au
besoin en comparaison avec le cinéma narratif classique
occidental) permettrait de dégager avec précision cette
fréquence, mais il semble bien que le recours à la structure syntagmatique de la scène soit caractéristique du
CNA. Et ce fait n'ira pas sans signification dès lors qu'il
mettra en évidence l'option monstratrice de ce cinéma.

C'est en interrogeant plus attentivement le statut théorique de ce syntagme que l'on fera apparaître sa véritable fonction. Pour cela un retour sur la « Grande syntagmatique » de Chistian Metz s'impose. La scène se caractérise d'abord, comme tout segment autonome, par son
unité de sens ; elle est ensuite un syntagme puisque
composée de plusieurs plans, et un syntagme narratif
(« le rapport temporel entre les objets vus à l'image *comporte des consécutions*, et non pas *seulement* des simulta-
néités »[5]) linéaire (« une consécution *unique* reliant tous
les actes vus à l'image »). Elle se distingue enfin des
séquences par le caractère continu de sa consécution :
elle « présente un ensemble spatio-temporel ressenti

_____

5. *Essais sur la signification au cinéma*, t. I, Klincksieck, 1971,
p. 129. C'est l'auteur qui souligne.

comme sans failles » [6]. Elle constitue « une unité *encore* ressentie comme « concrète » : un lieu, un moment, une petite action particulière et ramassée » [7]. Selon Metz la scène se caractérise donc par l'effet de continuité spatio-temporelle qu'elle produit. C'est un trait semblable que retient Gérard Genette pour définir la scène romanesque, l'un des quatre « mouvements » narratifs, puisqu'elle « réalise conventionnellement l'égalité de temps entre récit et histoire » [8].

A la différence de la séquence, la scène cinématographique établirait donc une égalité quasi parfaite entre le temps référentiel et celui de la projection. Elle se donnerait comme une sorte de prélèvement effectué sur le réel. De plus, parce qu'elle n'admet pas d'ellipse, elle ne « saute » aucun des moments de l'action, ce qui présuppose qu'elle les considère tous comme importants.

Le traitement scénique d'un segment autonome (par un travail sur le signifiant filmique donc) produit un effet de prélèvement sur une réalité préexistante dont chaque élément est considéré comme important. Plus que les autres segments (à l'exception peut-être du syngtame descriptif), la scène affiche une valeur essentiellement monstrative.

Elle appartient néanmoins à la classe des syngtames narratifs, c'est dire qu'elle aussi raconte. De cela provient la difficulté qu'il y a parfois à la distinguer de la séquence ordinaire (quatre segments indécidables de *Djeli*, par exemple, en font foi). Ce flottement, s'il 'ne surprend pas réellement (la « G.S. », comme tout modèle théorique, distingue et désigne des fonctionnements idéaux qui ne se retrouvent pas toujours dans la pratique), appelle cependant à poursuivre l'interrogation.

Le critère retenu par Metz (mais aussi, dans un autre domaine, par Genette) est donc celui de la continuité temporelle. La séquence ordinaire comporte des ellipses : elle « saute » des moments jugés accessoires, cependant toujours « reconstituables » par le spectateur. La scène

6. *Idem*, p. 130.

7. *Idem*, p. 131.

8. *Figures III*, p. 129.

s'inscrit au contraire dans un flux temporel continu ; du moins en produit-elle l'effet. Or, en tant qu'effet il s'articule sur l'activité interprétative du spectateur. Ainsi du segment 30 de *Djeli*, composé de deux plans. Dans le premier, Fanta et Karamoko, en plan rapproché, assis à une terrasse de café, discutent. Dans le second, en demi-ensemble, un serveur entre dans le champ, pose sur la table les boissons et s'éloigne ; les deux amoureux trinquent. Sur la fin de la phrase qui conclut les remarques de Fanta, s'achève le premier plan, tandis qu'au cours du second aucun mot ne sera échangé. La disparition du verbal produit l'indécidabilité. En effet doit-on considérer que la venue du serveur coïncide avec la fin de la discussion, et dans ce cas la continuité serait sans faille, ou suppose-t-elle une ellipse de durée indéterminée ? Aucun élément visuel ou sonore ne permet d'opter en faveur d'une des deux solutions.

Cette situation n'a rien que de très ordinaire dans le régime narratif-représentatif : l'on sait que le montage d'une scène, à la faveur des variations d'angles de prise de vue, peut être plus ou moins « serré » grâce au jeu des brèves ellipses. Précisément ces dernières, renvoyant à des « silences » plus ou moins longs, pourront instaurer un régime « flottant » : la continuité spatio-temporelle sera encore ressentie, tandis que se percevra simultanément l'accélération produite par le montage.

Si, dans la perspective de la « Grande syntagmatique », le critère temporel manifeste sa validité et son efficacité (il permet de distinger sept des huit types segmentaux), il n'est peut-être pas ce qui caractérise le mieux la scène dans son rapport à la séquence ordinaire. C'est qu'en fait l'espace joue un rôle déterminant, car la scène se conjugue fondamentalement sur le mode de l'« ici ». Ce qu'il convient d'entendre par là, une brève analyse du segment 14 de *Djeli* le dira.

Parce qu'elle comporte à la fois des actions et des échanges verbaux, cette scène, composée de cinq plans (pour une durée totale de 1' 52''), semble exemplaire. En demi-ensemble on découvre une concession avec quelques cases au fond et une grande cour sablonneuse à l'avant ; plusieurs femmes sont occupées à la cuisine : l'une pile, deux autres, au premier plan, tamisent de la farine. Un bruitage d'ambiance, avec le martèlement régulier du pilon, accompagne l'image. Ensuite un plan moyen montre une autre femme assise dans l'angle d'un mur, occupée elle aussi à tamiser, tandis que se poursuit « off » le martèlement du pilon. Le plan 3 saisit en plan américain les deux femmes que l'on voyait précédemment ; elles bavardent, et le spectateur peut alors les identifier : l'une, la mère de Fanta, donne à l'autre, la mère de Karamoko — parce qu'elle est griotte —, une cuvette de farine. Quelques pas de danse, accompagnés des battements de mains des autres femmes, remercient la mère de Fanta pour son geste. Au plan 4, portant sa valise sur la tête, s'avance Fanta en plan américain. Le plan 5, par un cadrage quasi identique au premier, montre l'ensemble de la cour. La mère de Karamoko va au-devant de la jeune fille pour l'accueillir, suivie bientôt de la mère qui vient embrasser sa fille. A l'appel de la griotte, toutes les femmes de la concession manifestent leur joie par des chants et des danses. Un rapide fondu visuel et sonore ponctue la fin du syntagme.

Le traitement de cette scène, en plusieurs de ses points, répond à une certaine orthodoxie. On note d'abord l'ouverture classique sur un plan large qui permet une appréhension globale de l'espace diégétique ; de surcroît, comme s'il s'agissait d'en réassurer la perception, le même cadrage est repris au dernier plan. Ensuite, au milieu du segment (plan 3), un effet de grossissement met en évidence deux des personnages. Procédure tout à fait convenue par laquelle, prélevé sur l'ensemble, un détail fait l'objet d'une sorte de plus-value. La fragmentation qui en résulte n'entrave nullement la perception de la continuité : le spectateur localise sans difficulté le détail dans la topographie englobante.

Néanmoins le montage de deux plans présente quelque particularité. La femme assise dans l'angle d'un mur (plan 2) n'était pas visible dans la cour (il ne s'agit donc pas d'une opération de « prélèvement » descriptif) ; sa localisation pourrait alors faire question, mais la bande-son est là qui maintient la continuité : le proche martèlement du pilon, bien qu'entendu « off », dit l'appartenance du personnage à l'espace de la concession. Le plan 2 correspond à une sorte d'élargissement du champ visuel.

Le surgissement de Fanta provoque un effet du même ordre, plus accusé encore : l'action (la marche et la valise qu'elle porte sur la tête), la restriction visuelle (seul le mur de banco qu'elle longe se devine) introduisent un net changement, si bien qu'on pourrait penser à la mise en place d'un nouveau segment. Mais, là aussi, la bande sonore endigue la déperdition : les battements de mains commencés au plan précédent se poursuivent « off » et très proches. Au plan suivant l'entrée latérale de Fanta réajustera définitivement l'ordre spatial : la jeune fille venait de franchir l'entrée de la concession, située probablement en retrait et sur la gauche.

La bande sonore, conformément à l'une de ses fonctions convenues, homogénéise la disparité visuelle, endigue la fragmentation et maintient ainsi la continuité. Celle-ci est certes d'abord d'ordre temporel : le même flux sonore se poursuit de plan en plan, mais elle s'inscrit aussi dans l'espace par le réglage de l'intensité. En effet il ne suffit pas que le bruitage se maintienne pour que l'unité spatiale se construise : la localisation des sources sonores doit être repérable. Ainsi la proximité (effet rendu notamment par l'intensité) du martèlement ou des battements de mains inscrit l'instance spectatorielle au centre de la cour ; elle me dit (particulièrement aux plans 2 et 4) qu'en dépit des distorsions visuelles je suis toujours (imaginairement) présent dans la concession, dans cet « ici » que le plan demi-ensemble du début me permettait d'appréhender. N'ayant pas changé de lieu (ce que me dit le bruitage), j'intègre les nouvelles données visuelles en les situant par rapport à ma propre localisation. Je construis l'espace diégétique à partir de ma présence imaginaire ; je suis, de manière continue, dans un « ici » qui m'est donné en même temps que je participe à son élaboration.

La scène se distingue ainsi de la séquence ordinaire qui se construit, elle, plutôt par une structuration du « là ». Le flux temporel, en raison des ellipses, perd sa continuité : le déroulement diégétique procède par bonds successifs de plus ou moins grande amplitude. Un principe régulateur doit donc prendre le relais : ce sera le plus souvent la logique actionnelle des personnages. Corollaire de cela, l'espace à la fois tend à l'éclatement et se restructure sur un mode singulier, comme le montrera un regard sur le deuxième segment de *Djeli*.

Il évoque un passé mythique, antérieur à la colonisation. Deux hommes (deux frères)[9], progressent lentement à travers un paysage de savane arborée. L'un ouvre la marche, l'autre suit, portant un lourd fardeau. Ils cheminent longtemps ; exténués, ils finissent par faire halte sous un arbre. L'un des deux, affamé, a perdu toutes ses forces. L'autre s'éloigne pour revenir bientôt et lui tendre un morceau de viande. Le premier découvre que son frère lui a donné sa propre chair pour le nourrir et le sauver.

La longue marche (qui dura, selon la légende, des jours et des jours) est traitée en six plans entre lesquels se glissent quelques ellipses à durée indéterminée. C'est l'avancée des deux hommes (le code actionnel donc) qui maintient l'effet de continuité, en même temps qu'elle souligne (par la difficulté croissante du second à suivre son prédécesseur) la durée ainsi que le progressif épuisement des deux frères.

La construction de l'espace, elle, s'élabore à partir de deux données : une lente transformation du paysage (redoublant ainsi le code actionnel), la direction des personnages par rapport à la caméra. Celle-ci varie à chaque plan (de face, de droite à gauche, de dos, de gauche à droite, de face, de gauche à droite à nouveau). L'œil spectatoriel se trouve à la fois déplacé par rapport à l'espace représenté (par absence de raccords sur les composantes du paysage) et resitué par rapport aux personnages. Tout se passe comme s'il procédait par bonds dans une sorte d'espace générique qui serait celui de la marche. Chaque succession de plan actualise et organise un espace précédemment hors champ. L'« ici-maintenant » du plan en cours n'est que le « là » du plan antérieur, tandis que le « là » du plan en cours deviendra bientôt un « ici-maintenant ». La séquence se construit donc par une réarticulation constante du champ et

_____

9. Comme l'indique le chant des musiciens de la scène antérieure et conformément à la légende la plus répandue.

du hors-champ. L'instance spectatorielle se déploie dans l'espace générique que fonde le code actionnel. On conçoit alors que la séquence ordinaire puisse privilégier la fonction narrative, celle du raconter.

La scène, certes fondée sur une continuité sans faille (mais pour cette raison aussi), se conjugue sur le mode fondamental de l'« ici ». Les variations d'angles de prise de vue, les éventuels champs/contre-champs, s'articulent sur l'instance spectatorielle selon un principe de convergence. Chaque nouvel axe de vision (et d'audition) apporte bien sûr de nouvelles informations sur l'espace représenté, mais dans le même temps il participe à un procès général de centralisation et de centrage de l'instance spectatorielle. Parce qu'il construit un regard optimum, l'espace scénique est alors celui de ma pleine présence. En cela réside la fonction essentiellement monstrative de ce syntagme. Le regard et l'écoute s'y déploient sans contraintes.

Parce qu'elle donne à voir et à entendre tout en « centrant » l'instance spectatorielle, la scène participe fondamentalement de la représentation et travaille dans le sens de l'illusion référentielle. Ce serait déjà une raison suffisante pour qu'un cinéma-miroir du quotidien y fasse largement recours ; or le CNA y trouvera une raison supplémentaire : grâce à la scène il transposera dans le système filmique un acte essentiel du système social, l'exercice de la parole, comme on le verra dans le chapitre suivant.

Les déplacements

En raison là aussi de sa fréquence, un autre trait semble tout aussi caractéristique du CNA : le recours aux déplacements des personnages. On marche beaucoup dans ce cinéma. Mais peut-être est-ce là une perception proprement occidentale, entachée d'exotisme : les déplacements s'effectuent bien souvent à pied ou à bord de véhicules précaires, c'est-à-dire selon des modes en voie de régression dans les pays industrialisés ; l'œil occidental serait alors plus sensible à leur représentation. Là aussi, seule une étude comparée, systématiquement conduite, avec un corpus de films occidentaux donnerait quelque assurance.

Toutefois, il est une autre hypothèse, plus intéressante ici parce que directement articulée sur des questions sémio-narratologiques : le déplacement des personnages constituerait un des moments de risque du récit. Pourtant c'est plutôt à l'alternative (qui instaure la fonction cardinale) que Roland Barthes [10] assigne cette valeur ; or le déplacement est le contraire d'une alternative puisqu'il prolonge une action (ou une décision) et prépare un proche avenir narratif, qu'il répond à la commutation par une transition. C'est qu'en réalité le risque n'est pas de même nature dans un cas et dans l'autre.

Pour Barthes, la fonction cardinale correspond à ce moment où le récit doit choisir entre deux routes, où il peut dévier et se « dévoyer » [11] ; pour nous le déplacement, parce qu'il est transition (fonction catalyse, dirait R. Barthes), correspond à ce moment où, le code actionnel faisant une pause, la narration s'assoupit. Dans le premier cas le risque est ce qui maintient l'activité narrative en la relançant sans cesse, dans le second il est une menace d'englument, une mise en question du principe d'efficacité narrative.

Certes, pareille assertion appelle aussitôt de multiples correctifs. Le déplacement peut être lui-même le code actionnel, dès lors que le faire « déplacement » constitue une épreuve pour le sujet. *Bako*, mais aussi *Pawéogo, Poko* et d'autres, tous ces films où le héros endure les souffrances d'un voyage périlleux, en sont l'illustration. D'une façon plus générale encore, le récit de quête, par l'itinéraire qu'il développe, suppose le plus souvent un parcours initiatique et, par conséquent, un déplacement. D'autre part, même lorsqu'il constitue une pause, il n'est

---

10. « Introduction à l'analyse structurale des récits » in *Poétique du récit*, Seuil, « Points ».

11. Le célèbre conte de Raymond Queneau, « Un conte à votre façon » (publié dans *le Nouvel Observateur* et repris dans *La littérature de 1945 à nos jours*, Collectif, Bordas) illustre parfaitement ce processus de commutation.

pas pour autant « inefficace ». Le « suspense » par exemple se nourrit du retard ; d'évidentes raisons rythmiques peuvent aussi justifier cette plage narrative ; le déplacement est enfin source d'informations, notamment sur l'espace qui l'accueille.

En fait deux types seraient à distinguer : le déplacement comme modalité du code actionnel (il est alors un « faire » à valeur cardinale), le déplacement comme fonction catalyse (il assume le plus souvent un rôle de liaison et répond à des contraintes narratives auxquelles il se subordonne). Bien évidemment le risque d'englument se manifeste surtout dans ce second cas. Le sentiment d'une forte présence des parcours-liaisons dans le CNA ne serait-il pas alors lié à leur affaiblissement fonctionnel ? En d'autres termes les déplacements y seraient d'autant plus perceptibles que leur motivation serait faible. Là où, pour un regard occidental, on attendrait une ellipse, une coupe, de nombreux films du CNA proposent le déploiement duratif d'un parcours. Que dans le pire des cas un sentiment tout négatif de longueur, d'inutilité, de « remplissage » s'empare du spectateur occidental est d'expérience courante (mais qu'en est-il pour le spectateur africain ?). Cependant au-delà de cette subjectivité et du jugement critique qui pourrait l'accompagner, cette fréquence des moments « catalyse » dit autre chose, culturellement plus significatif ; elle dit une conception différente de l'efficacité narrative.

Cela conduit à s'interroger plus précisément sur la fonctionnalité du déplacement. Il est fondamentalement réponse aux contingences spatio-temporelles. Hormis l'hypothèse du don d'ubiquité, deux lieux différents et non contigus ne peuvent être habités par un même personnage sans que celui-ci se déplace pour passer de l'un à l'autre.

Pour cette raison la narration peut se dispenser d'en faire le récit : se fondant sur l'axiome de non-ubiquité, le spectateur comblera mentalement le vide de l'ellipse. Une économie du même ordre se réalise aisément au cinéma par le recours au verbal : qu'un personnage donne rendez-vous à un autre, et le voilà arrivé, dès le plan suivant, au lieu convenu. Dès lors que les conditions de lisibilité sont remplies, le principe d'efficacité (du moins dans un certain régime narratif) veille à effacer ce qu'il considère comme inutile.

De ces remarques il découle que, si dans la continuité actionnelle référentielle le déplacement est obligatoire pour passer d'un lieu à l'autre, sa représentation narrative est, elle, facultative. Elle relève d'un choix et à ce titre sa présence dans un récit est toujours significative ; à ce niveau se manifeste sa véritable fonctionnalité.

Ainsi à nouveau de la marche des deux frères dans *Djeli*. Composée, comme on l'a vu, de six plans, elle s'étend sur 6' 22''. Certes il ne s'agit pas d'une simple séquence-liaison (elle est à elle-même sa propre finalité), mais sa durée d'abord lui confère quelque particularité, son traitement ensuite renvoie à diverses caractéristiques du CNA.

La première se note dans le refus de la dramatisation. L'épuisement progressif de l'un des deux frères, qui pourrait le conduire à la mort, est comme tenu à distance. Saisis en plans généraux, les deux personnages se fondent dans le paysage : seul l'écart grandissant entre eux désigne la montée de l'épuisement. Aucun gros plan sur les visages, aucune forme d'insistance visuelle ou sonore. Tout au plus s'approche-t-on jusqu'au plan américain, mais pour appréhender celui qui ouvre la marche. Plus symptomatique encore, au moment où la caméra pourrait saisir le second en plan serré, elle cadre seul, par un effet de métonymie visuelle, le fardeau qui oscille. La dignité est incompatible avec la manifestation de la souffrance, celle-ci doit se deviner et non s'exhiber. Ce refus du pathétique, et par là d'une mise en scène « dramatisante », se retrouve dans de nombreux films où caméra, montage et jeu d'acteur s'inscrivent dans une sorte de degré zéro de l'expressivité gestuelle. Signe d'une composante culturelle ? Il y a fort à parier.

Une deuxième caractéristique concerne la durée du segment, qui trouve certes dans la longueur des plans (plus d'une minute en moyenne) son origine, mais qui la doit aussi à un traitement particulier. Caméra immobile (à l'exception de rares panoramiques d'accompagnement), lointaine : les personnages traversent longuement l'écran, sortent du champ (le cadre reste vide un instant) puis entrent au plan suivant. Ce montage classique souligne la régularité et la lente progression des deux frères. Le segment se développe sur le mode duratif. Si bien qu'au regard de l'épisode d'ensemble une contradiction se fait jour.

On sait que ce moment du film illustre la légende expliquant l'origine de la caste des griots. Parce que l'un des deux frères a sauvé l'autre au prix de sa chair, une dépendance est née, en signe de reconnaissance. Le programme narratif du mythe comporte deux temps : l'instauration d'un manque (l'épuisement), la résolution du manque par le don de la chair. Ce second temps est évidemment essentiel puisqu'il rend compte du geste fondateur. Or le film inverse ce rapport : il développe longuement l'état de manque et condense (au prix d'une ellipse étonnante sur la mutilation) l'action qui scelle l'avenir. Dans le traitement d'ensemble du syntagme, la monstration l'emporte sur la narration.

En ce sens, bien qu'il ne s'agisse pas réellement d'une séquence-liaison, ce passage de *Djeli* a valeur d'exemple : trajets et parcours des personnages font le plus souvent, au sein du CNA, l'objet d'une expansion démesurée par rapport aux seules nécessités du code actionnel ou aux contraintes de la logique narrative.

Le regard s'attarde le long des pistes (Satou, dans *le Wazzou polygame*, se rendant de son village jusqu'à Niamey), accompagne un personnage à l'intérieur des véhicules successifs qu'il emprunte *(le Retour d'un aventurier)* ou sillonne les rues de la grande ville *(Ayouma)*. Le déplacement d'un personnage est bien souvent l'occasion d'une découverte ou d'un élargissement de l'espace représenté. Il s'ouvre sur une sorte d'exploration qui, par le truchement du personnage, se propose d'abord au spectateur. En ce sens la véritable fonction des trajets et des parcours relèverait moins de l'économie narrative que d'un acte plus général de communication : ils assurent la fonction phatique par laquelle le contact s'établit entre le spectateur et un film-miroir.

Certes les choix paradigmatiques (que montrer ? que faire entendre ?) sont déjà révélateurs d'un cinéma — c'est ce que présupposent les analyses thématiques —, cependant c'est probablement dans les réponses qu'il apporte aux contraintes de l'axe syntagmatique qu'il affirme le mieux sa spécificité.

Si les trois principes d'agencement textuel (successivité, simultanéité, ambivalence) sont parcourus par le CNA, ils le sont inégalement : les organisations simples l'emportent sur celles qui affichent une certaine complexité. Faut-il voir là la conséquence d'une visée didactique très souvent revendiquée ? Toutefois l'omniprésence de la scène et des déplacements invite à une autre hypothèse : l'efficacité narrative répondrait à des critères différents de ceux qui prévalent dans le cinéma occidental.

Parce que la scène produit un « centrage » de l'instance spectatorielle, parce que la séquence-liaison permet une exploration de l'espace représenté, toutes les deux ont pour rôle principal de donner à voir et à entendre, participent du processus d'illusion référentielle. Elles privilégient l'acte de monstration. Des deux grandes fonctions du cinéma (montrer, raconter), le CNA affiche une nette prédilection pour la première. Tout se passe comme si la volonté avouée de raconter se trouvait en permanence traversée du désir (inconscient ?) de montrer, et cela dans un geste fondamentalement historique de réappropriation.

Au reste il appartiendra à l'analyse du fonctionnement de la parole de confirmer cette hypothèse.

ESPACES DE LA PAROLE

Deux films, quant aux questions concernant la parole, ne manquent pas d'être significatifs : *Kodou* et *la Noire de...* Dans le premier, on s'en souvient, l'héroïne, isolée dans une case ou ligotée au pied d'un arbre, est soustraite à l'espace social. Dans le même temps elle perd l'usage de la parole. Il y a là comme une sorte de parabole par laquelle se dit la fonction sociale du verbe : il est ce qui fonde l'ordre communautaire. Si bien que sortir de cet ordre, c'est perdre l'usage de ce qui le fonde.

Dans le second, une parole singulière se fait entendre : la voix intérieure de Diouana, relayée souvent par sa mise en images lors des flash-back. L'héroïne a ici perdu la voix. Elle ne peut faire entendre qu'un artifice, qu'un ersatz [1] : le monologue intérieur traité en voix « off ». Ici aussi se développe comme une parabole : le CNA est en train de naître ; sa voix n'est encore que murmure, elle demandera à se faire entendre.

Par référence à son pouvoir dans une société fondée sur l'oralité, la parole pourrait bien jouer un rôle sin-

---

1. Artifice relayé par celui du recours à une autre voix (celle de Toto Bissainthe) et par l'usage du français. C'est ce dernier artifice que M.-C. Ropars-Wuilleumier interroge en en soulignant la portée significative (« La problématique culturelle de *la Noire de...* », in *Colloque sur la littérature et l'esthétique négro-africaines*. Dakar/Abidjan, NEA, 1979).

gulier dans le discours filmique du CNA et l'aider ainsi à faire entendre sa voix.

Le verbal

C'est d'abord, et sémiologiquement, sous la forme du verbal qu'elle se manifeste.

Et l'analyse peut l'appréhender à la fois pour lui-même (en tant que vecteur d'informations et de significations) et dans sa relation aux autres matières de l'expression, particulièrement à l'image mouvante.

Bien qu'il puisse demander à être établi avec certitude (à partir d'un travail à la fois statistique et comparé), un constat empirique ne manque pas de surgir concernant deux caractéristiques de l'emploi du verbal au sein du CNA : sa faible fonctionnalité narrative, la visualisation des sources d'émission.

Ainsi, on l'a vu à propos des déplacements, le verbal répond à des principes d'économie narrative différents de ceux en usage dans le récit classique occidental. Les dialogues, par exemple, comportent peu de précisions locatives et temporelles sur le récit en cours, celles qui justement autorisent, sans perte de lisibilité, la mise en place des ellipses.

D'autre part, en conformité avec l'importance que revêt la scène, le verbe émane rarement du hors-champ. Celui qui parle — on le verra mieux dans les pages à venir — est le plus souvent au centre de l'image. Le montage en champ/contre-champ a pour fonction de distribuer alternativement la parole et de cadrer presque systématiquement l'émetteur[2], comme si toute prise de parole était en elle-même un acte essentiel. Si bien que

2. Comme *a contrario* les déclarations du jeune réalisateur William M'Baye en donnent la preuve : « Nous devons nous éloigner du "champ contre-champ", qui est une technique qui isole l'individu tout en particularisant ses propos, et adopter le « jarkolo » (diarkolo), nouvelle technique de découpage qui permet d'insérer l'individu dans la collectivité et d'établir un dialogue dans la pure tradition sénégalaise » ; *Vingt ans après, le cinéma est-il possible ?* Journées d'étude du cinéma (du 1er juin au 3 juin 1981) organisées par les cinéastes sénégalais associés. Exemplaires ronéotés, aimablement communiqués par Pierre Haffner.

le verbal existe fondamentalement sur le mode de l'« ici-maintenant »:

Néanmoins il lui arrive de jouer de façon plus singulière, notamment dans son rapport à l'ailleurs[3]. Ainsi dans *la Noire de...* le monologue intérieur de Diouana, parce qu'il renvoie le plus souvent à la vie dakaroise, inscrit dans le présent de l'image un « ailleurs » rêvé qui accentue, par contraste, la solitude de l'héroïne. De manière semblable intervient la constante référence à la France et sa capitale dans *Touki-Bouki*. A l'aune du rêve parisien se mesure le présent des deux personnages. Dans les deux cas l'opposition du verbe et de l'image instaure le clivage du sujet.

Parfois, mais peut-être trop rarement dans la perspective d'un cinéma-miroir[4], un « ailleurs » d'une autre nature, ancré dans la culture traditionnelle, surgit par le truchement du verbal : l'ailleurs des ancêtres. *Finyé* en offre un exemple magistral lorsqu'avant son affrontement avec le Gouverneur, le grand-père de Bâ invoque les génies. Une voix lui répond, réverbérée, comme venue d'un temps lointain, et prédit le nouvel avenir[5]. Entre l'image présente, en très gros plan, de la statuette, du tronc et des ramures du baobab, et la voix distante s'inscrit une étrange distorsion, celle-là même de cet « ailleurs » qui est en même temps un « ici »[6].

Rapport singulier à l'ailleurs, présence de l'émetteur

---

3. Ainsi que nous l'avons montré dans notre thèse *(cit.)*, un sème général d'organisation spatiale peut se construire à partir du sujet, fondé sur trois situations-types : l'ici, le là, l'ailleurs. Le premier correspondant à l'espace d'inclusion du sujet, le second renvoyant à un espace n'incluant pas le sujet mais contigu ; le troisième est disjoint à la fois de l'ici et du là.

4. Toutefois, avec *Yeleen*, une exception notable et récente inaugure peut-être une voie riche de potentialités.

5. Il est peut être significatif que cet ailleurs soit provoqué et mis en scène au moment même où les forces de l'ombre disent la perte de leur pouvoir.

6. Serait ainsi « figurée » une conception mythique du temps et de l'espace qui selon Edgar Morin offre les traits suivants : « Il n'y a pas un espace et un temps proprement mythiques ; il y a un dédoublement mythique de l'espace et du temps dans le maintien de leur unité », *La Méthode, la connaissance de la connaissance*, Seuil, 1986, p. 162.

dans le champ, faible fonctionnalité narrative, ces trois manifestations du verbal apparaissent certes comme caractéristiques du CNA, néanmoins elles ne suffisent pas, en dehors de leur fréquence, à marquer une réelle singularité. C'est qu'en réalité celle-ci se situe ailleurs ; non pas dans le verbal comme fait sémiologique, mais dans la parole comme fait social et filmique. Ce qu'il faut entendre précisément par là, un film l'explicitera : l'*Exilé*.

L'Exilé

Assurément son exemplarité est sans faille puisqu'il s'offre, aux plans thématique, actionnel, structurel, comme un film sur la parole.

En désaccord avec le revirement politique de son pays, un ambassadeur se démet de ses fonctions et choisit l'exil. Pour expliquer son geste à un groupe d'amis européens, il procède par allusion et raconte une histoire ancienne de chez lui. Un roi juste, bon et sévère, ayant surpris la conversation de deux frères, prend au mot les souhaits qu'ils formulent : à chacun il donne en mariage une de ses filles. En retour, les deux époux, au terme d'une année pleine, devront payer de leur vie cette faveur et accepter d'avoir la tête tranchée. Un an plus tard l'un s'exécute, l'autre sous la pression de sa femme choisit la fuite avec elle. Au cours de leurs pérégrinations, diverses épreuves les attendent, dont ils sauront triompher, grâce à leur parole, cette fois-ci à la fois donnée et tenue.

La logique actionnelle du second récit repose entièrement sur l'acte verbal puisqu'à chaque moment d'alternative il est présent, et que de ce qui est dit dépend la suite des événements. Ainsi les deux frères peuvent accepter ou refuser la proposition royale. En l'acceptant, ils auront à la payer de leur vie un an plus tard. Répondre ou non à leur engagement, une nouvelle alternative s'ouvre. Les deux réponses sont données. L'un meurt, l'autre fuit. Ce dernier, en danger de mort, sera ultérieurement sauvé par un grand féticheur sur la promesse d'épouser sa fille. Une autre étape le conduit dans un nouveau pays où il prendra le pouvoir grâce au verbe là aussi : la fille du roi lui révèle la réponse à fournir en échange d'une autre promesse de mariage. La bonne réponse donnée, la parole tenue, permettent au héros d'accéder au trône. C'est enfin en conformité avec la tradition (transmise oralement) qu'il se sacrifiera pour le bonheur de son peuple. La parole, sous ses diverses formes, articule ainsi les grandes séquences du récit.

Elle est aussi présente dans la structure même du film : l'emboîtement des récits s'organise sur le principe de la mise en abîme. Au verbe que développe l'ambassadeur pour expliquer sa décision, répond un récit qui a lui-même le verbe pour objet. Parole sur parole, dans ce renvoi mutuel, le film dit la force du verbe.

Cette triple manifestation, aux niveaux thématique, actionnel et structurel, indique clairement l'importance accordée à la parole ; c'est là sa première caractéristique, probablement la plus immédiatement perceptible. Cependant il est un autre aspect, plus essentiel, que ce film met aussi en évidence : la parole, la vraie, la seule qui soit digne de ce nom, comporte un caractère de noblesse.

Par contraste d'abord, cela apparaît. En son début, le récit second montre les deux frères, hommes du peuple, travaillant dans leur champ. Ils bavardent et disent l'amour qu'ils portent aux deux filles du roi. Celui-ci, au même moment, passe tout près, si bien qu'en se dissimulant il surprend la conversation. Le lendemain il convoquera les deux frères pour leur proposer le pacte que l'on sait.

Au-delà de sa fonctionnalité narrative (description de la situation initiale), ce prologue assigne à la parole différentes caractéristiques : simple conversation entre les deux frères, elle est d'abord d'ordre individuel. Elle s'énonce ensuite sur le mode optatif : la relation amoureuse avec la princesse ne relève que du souhait. Elle est enfin vagabonde : proférée en plein air, rien ne l'arrête ; elle s'envolerait si quelqu'un par hasard n'en était le témoin. C'est en somme une parole sauvage.

Par contraste avec elle, la suite du film montrera ce qu'est la vraie parole. Elle est d'abord collective : lors des assemblées de la Cour elle s'adresse à tous les présents, en les impliquant lorsqu'elle prend la forme d'une décision. Elle est ensuite spatialisée : elle s'énonce en des lieux privilégiés, structurés et clos, comme l'enceinte du palais. Elle est enfin asservie, voire impérative. Ce qui est dit a valeur d'engagement, est irrévocable. La promesse faite par les deux frères pose les termes d'un contrat : une année de bonheur contre une vie.

S'il a un rôle fonctionnel dans le récit (il scelle un contrat), ce pacte a aussi une signification de portée plus générale. Il dit ce qui fonde la valeur de la parole dans la tradition orale : la vie en est le garant. Parce qu'elle se paye du prix le plus fort, elle peut assurer la pérennité de l'ordre social. De cela découlent aussi les conditions dans lesquelles elle est émise. Le caractère collectif et la localisation, notés dans le film, sont en fait les données de base d'un phénomène de plus vaste amplitude : le rituel qui règle, ordonne et sacralise l'acte d'énonciation.

Dans ces conditions l'homme de parole est un homme d'honneur qui possède la vraie noblesse.

La parole mise en scène

Fait social qui définit à la fois un ordre et un système de valeurs, le verbe ainsi réglé joue un rôle capital dans la société traditionnelle, si bien qu'il demeure encore fort vivace en dépit des mutations que connaît l'Afrique actuelle. Il appartient pleinement à l'aire culturelle qui sert de référent au CNA. Celui-ci sera donc amené à l'aborder frontalement et sera saisi entre deux exigences contraires.

D'une part, en tant que fait sémiologique, le verbal, parce qu'il raconte et participe — comme les autres moyens d'expression — à l'acte narratif d'ensemble qu'est le film, assure une fonction narrative propre au système filmique. D'autre part, parce qu'en tant que parole il appartient à un système préexistant et extérieur, celui de l'ordre social, il peut se donner à voir et à entendre, s'intégrer à un processus général de représentation et de monstration ; il assure alors une fonction scénique. Au verbal qui raconte répond la parole qui se montre.

Certes la formule a quelque chose d'excessif car il s'agit de tendances dominantes plus que d'exclusives (bien que montrée, la parole, de par son contenu, peut faire avancer le récit, par exemple), néanmoins elle distingue, malgré les apparences d'un égal recours à la langue, deux fonctions bien différentes.

Parce qu'elle ne saurait exister en dehors du rituel qui la règle, la parole est à la fois acte et spectacle ; parce que ce rituel appartient à un système non filmique mais qu'il participe, dès qu'il entre dans le procès narratif, d'un système spécifiquement filmique, il doit faire l'objet d'un nouveau réglage. Le spectacle qu'est la parole est alors doublement mis en scène, par le film, par l'ordre social.

L'assemblée de la cour royale dans *l'Exilé* en donne une illustration remarquable. D'une part elle affirme sa toute-puissance par sa constante présence au début du film : sur les quinze premiers syntagmes, cinq lui sont consacrés, tandis qu'en durée elle occupe près de la moitié du temps. D'autre part et surtout, elle fait l'objet d'un traitement filmique particulier.

Ainsi du premier plan où elle apparaît. Le choix d'un cadrage en demi-ensemble autorise une appréhension globale du dispositif scénique et souligne l'importance fondamentale de l'agencement spatial. Au premier plan, la couche royale légèrement surélevée ; sur la droite la porte donnant sur les appartements du roi ; au fond, le mur d'enceinte circulaire en banco qui dessine l'aire de l'assemblée et qui, par une étroite ouverture, donne sur un escalier extérieur, dans l'axe du lit ; à l'arrière-plan enfin et en contrebas, le pays. La place de chaque participant est ainsi définie : en position haute, le maître des lieux ; en face et autour de lui, assis en cercle tout au long du mur, les notables ; entre les deux, mais adossé à la couche royale, aux trois quarts tourné vers le public, le griot ; au loin, hors de l'enceinte, le peuple que l'on aperçoit, vaquant à ses occupations. Deux autres détails accusent le caractère spectaculaire du dispositif : les deux entrées, celle du roi, celle des courtisans, disent la séparation des rôles, elle-même inscrite au sol par l'aire laissée libre entre le maître et ses sujets.

Organisation de l'espace et disposition des personnages répondent en fait à un ordre hiérarchique dont le dispositif, par sa structure sous-jacente, rend mieux compte encore. Un double axe contradictoire, vertical et horizontal, régit l'ensemble. Suivant la verticalité s'ordonnent la couche royale (position la plus élevée), l'aire de l'assemblée, puis le pays en contrebas. L'axe horizontal, lui, fait intervenir la distance. Elle s'évalue par rapport au point d'origine que constitue à nouveau la couche royale avec, à proximité immédiate, la place du griot, ensuite, nettement séparés par l'aire laissée libre, les notables ; enfin, à la plus grande distance, matérialisée par le mur d'enceinte, le peuple. Ces deux axes, chacun à sa manière, disent le même ordre. Un principe de redondance souligne le pouvoir absolu du roi et annonce le caractère souverain de sa parole.

Ces composantes locatives du rituel appartiennent à un système non filmique, celui de l'ordre social référentiel et elles procèdent à une première mise en scène. Cependant celle-ci n'est lisible qu'en raison d'un second réglage, filmique lui, et que matérialise le cadrage en demi-ensemble. D'une part la largeur du champ permet une saisie globale des composantes, d'autre part la position de la caméra, qui porte au premier plan la couche royale et renvoie le peuple à l'arrière-plan, répète l'ordre hiérarchique. Cette seconde mise en scène, par le recours à une sorte de degré zéro de l'écriture, tend à effacer les marques de son travail et privilégie la lisibilité de l'ordre du rituel social.

Cela se confirmera en chacun des moments où la Cour sera représentée. Après le cadrage en demi-ensemble, le premier des cinq syntagmes se poursuit ainsi :

a) contre-champ en plan rapproché sur le griot ;
b) retour au cadrage initial ;
c) plan rapproché de face sur le roi discourant ;
d) contre-champ sur l'un des courtisans (plan rapproché) ;
e) retour sur le roi en plan rapproché.

A l'évidence la succession des plans serrés répond à une série de « prélèvements » sur l'espace général montré initialement. Le resserrement du cadre, malgré la perte de coordonnées spatiales qui peut l'accompagner, ne trouble guère la lisibilité. Au contraire, il permet une mise en évidence des divers acteurs dont l'ordre d'apparition de surcroît correspond à la hiérarchie : le roi, le griot, les courtisans. De plus, le retour régulier sur le souverain confirme sa prééminence que, du reste, sa parole continue et omniprésente indique en toute clarté.

Au cours des quatre syntagmes suivants, montage et cadrage travailleront d'identique manière, avec une tendance plus nette encore à privilégier l'acte royal : de longs plans fixes (en plan moyen) lui sont entièrement consacrés, comme par une sorte d'humilité de la caméra.

Par leur conformité aux usages les plus répandus, montage et cadrage se placent sous le signe de la discrétion, et l'acte d'énonciation filmique efface ses marques au profit du représenté. Le rituel social se déploie alors en toute sérénité sur la double scène du spectacle.

Couleurs et costumes en sont une des composantes majeures. Sur l'uniformité de l'ocre (de la terre et des murs) se détachent les teintes vives qui répètent l'ordre hiérarchique : couche royale aux couvertures tissées et multicolores traditionnelles, tenue sobre, mais relevée par le ruban targui du griot, blanc uniforme des courtisans. La gestuelle ensuite répond à un cérémonial immuable : l'interpellé s'avance, tête inclinée, jusqu'au centre de l'aire, salue en s'agenouillant, écoute avec recueillement puis se retire humblement. Le griot accompagne musicalement chacun des actes qui se déroulent avec une lenteur calculée ; et le rythme interne des syntagmes épouse fidèlement cette lenteur.

Ce double réglage du profilmique (contrôlé lui-même par l'ordre social de référence) et du traitement narratif donne alors au verbe sa pleine mesure. Il accède ainsi à une véritable souveraineté.

Au reste, comme s'il s'agissait d'en administrer la preuve, un redoublement spéculaire le souligne. Un premier effet de mise en abîme a déjà été indiqué, celui qui s'inscrit dans l'emboîtement des récits ; or, comme par un tour de vis supplémentaire, un second effet se développe au cours du deuxième récit. Alors qu'il s'apprête à appliquer la sanction prévue, le roi va raconter une longue et ancienne histoire que le film laisse écouter dans son intégralité. Tout comme l'ambassadeur explique sa démission par la parabole du conte, le roi souligne l'importance de la parole en puisant lui aussi dans le patrimoine de l'oralité : l'histoire raconte comment, dans les temps anciens, un grand roi tint sa parole et accepta d'avoir la tête tranchée pour avoir prononcé lui-même (à la suite du stratagème d'un griot) la phrase fatidique que nul ne devait dire. Devenu victime de sa propre loi, le roi accepta de s'y soumettre.

Les points de convergence entre la situation évoquée par ce récit et celle que raconte le film sont particulièrement évidents ; de plus, comme par souci didactique, le récitant n'hésite pas à marquer l'analogie : « Il y a très, très longtemps vivait dans un village un très grand roi *comme moi* », dira-t-il.

Ainsi *l'Exilé* raconte comment, pour se justifier, un ambassadeur raconte un conte au cours duquel un roi raconte comment dans les temps anciens un grand roi sut payer de sa vie la parole donnée. La valeur ornementale prêtée par Gide[7] à la mise en abîme n'a guère cours ici ; s'y affirme plutôt sa fonction didactique : ce triple emboîtement des récits, en ancrant dans des temps toujours plus anciens le caractère sacré de la parole, dit à la fois la permanence de cette valeur et la force de la tradition orale dès lors qu'elle sut résister à l'épreuve du temps.

Que le soin de réaffirmer la valeur de la parole et de l'oralité revienne à un film ne manque pas d'éclairer de façon singulière les rapports de la modernité et de la tradition dans l'Afrique contemporaine. Dans le même temps s'explique le fait qu'elle soit filmiquement traitée sur le mode de la scène, et cela de manière quasi constante.

Ainsi le syntagme consacré au récit du roi ne comporte aucune faille, aucun hiatus diégétique. Le temps de la narration filmique coïncide exactement avec celui de la narration orale, en dépit de la durée du conte (3' 28'' à lui seul). Une seule action au cours de ce long passage : celle qui consiste en un discours adressé à un

---

7. Dans son *Journal*, de 1893.

116

public recueilli. La caméra fixe le roi, tout aussi attentive que les courtisans qu'elle ne montre que par de rares contre-champs.

Ici comme dans de nombreux autres films, tout se passe comme si, la parole s'élevant, une sorte de silence narratif s'imposait : l'énonciation filmique s'efface jusqu'à la plus grande transparence. La construction du syntagme, elle-même, répond aux nécessités d'une écoute maximale. En raison du statisme général de l'action, de la localisation de l'événement, la scène, par l'illusion de continuité spatio-temporelle qu'elle crée et le positionnement spectatoriel qu'elle engendre, apparaît comme le type syntagmatique le mieux approprié. Elle montre la parole — en tant que fait social et culturel — en même temps qu'elle favorise l'écoute du verbe qui en émane.

Qu'elle soit présente dans de très nombreux films du CNA, sous les formes les plus simples comme les plus complexes, ne surprendra guère. Ainsi dans *Kodou*. Alors que le père, après la fuite honteuse de sa fille, va demander conseil à un ami, la scène est traitée de façon très simple : caméra fixe, plan moyen cadrant les deux hommes assis côte à côte, chacun tourné légèrement vers l'autre. Derrière eux une palissade borne l'espace. Le père raconte les malheurs qui l'accablent, s'interroge sur les remèdes possibles. La parole ici relève plus de la confidence que du rituel collectif, et l'« événement » diffère fondamentalement de celui qui a lieu à la Cour de *l'Exilé*. S'agit-il encore d'une parole, au sens noble du terme ? Ne serait-on pas au contraire en présence d'un usage individuel et prosaïque du verbe ? En un sens assurément. Pourtant quelque chose se murmure à travers la simplicité du traitement filmique. Ce qui est donné à voir, c'est moins le contenu des propos (le spectateur a déjà connaissance des sentiments et interrogations du père : une séquence antérieure ayant montré, par sa gestuelle et son expression, le désarroi dans lequel le geste de sa fille venait de le plonger) que la solidarité communautaire unissant les deux hommes, elle-même fondée sur une culture orale. Une sorte de sentiment de respect émane du traitement narratif, impression peut-être dûe à la fixité et à la position de la caméra. Elle

117

se tient à la juste distance qui permet l'observation sans tomber dans l'indiscrétion, celle qui, par exemple, par de gros plans aux angles variés, tenterait de traquer l'émotion ou de souligner la douleur du père. L'effacement de la mise en scène, ici encore, dit l'importance de la parole, en tant qu'acte et non en tant que contenu [8].

De manière presque opposée *Ceddo*, lors de l'assemblée convoquée par le roi en réponse au défi des ceddos, joue sur la valeur dramatique de la scène, car elle conjugue ici les deux fonctions, narrative et monstrative. D'abord elle donne à voir et à entendre la parole en acte : les prétendants au trône défendent leurs droits en faisant assaut d'arguments fondés sur l'héritage traditionnel. Ensuite, le jeu des champs/contre-champs, les variations d'angles de prise de vue, s'ils maintiennent l'unité spatiale de la scène, vont aussi, par la montée progressive du conflit entre Saxewar, Madior et Biram, faire avancer l'action en soulignant les rapports de force. La scène alors, dans son ensemble, donne à lire, dans ses diverses phases, une parole conflictuelle, déjà porteuse de sa propre dimension dramatique. Le montage riche et complexe maintient l'équilibre entre les contraintes narratives et monstratives.

Cependant cet exemple paraît relativement exceptionnel dans le CNA où la parole, de façon majoritaire, appartient à la fonction monstrative. Probablement, s'il s'agit d'entrer dans le débat convenu sur l'authenticité africaine, faut-il en voir ici une trace essentielle. L'importance sociale et culturelle de la parole serait telle que son surgissement dans le récit filmique suspend la fonction narrative. Sitôt qu'elle s'énonce, c'est pour se déployer dans son intégralité : son interruption serait sacrilège. Dans le respect dont elle est l'objet, et que traduit un effacement général de l'écriture, se dit l'importance que lui accordent encore de nombreux réalisateurs ; or le sentiment de cette importance est lui-

---

8. C'est une lecture différente que propose Jacques Binet de ce même fragment dans « Les structures des films », *Cinémas noirs d'Afrique, Cinémaction*, 26, p. 87 : « le spectateur a l'impression de deux hommes qui font, ensemble, face au destin ».

même issu d'une conformité culturelle avec une société ayant le respect de la parole.

Les espaces/lieux de la parole

Définie par sa valeur d'acte, au rituel le plus souvent minutieusement réglé, plus que par son contenu, la parole, au sein du récit filmique et dans une perspective pragmatique, relève alors moins du « type » que du « token »[9]. Elle est toujours mise en situation, avec le double sens de cette expression ; au sens actif, son surgissement provoque une situation illocutionnaire : elle met en présence des locuteurs inscrits dans un processus relationnel particulier ; au sens passif, en tant qu'acte illocutionnaire précisément, elle est toujours contingente, située dans le temps et l'espace. Cela, conjugué avec son importance sociale et monstrative, conduit à lui conférer, dès son entrée dans la diégèse, une valeur essentielle. Elle ne saurait verser dans la banalité. A son pouvoir de suspendre la fonction narrative, déjà noté, s'ajoute une diégétisation de l'espace qui lui est propre.

Certes, comme dans *l'Exilé*, en référence à l'ordre social, elle peut se proférer en des lieux institutionnels, aménagés à cette fin (la Cour royale), mais le plus souvent, le temps de son énonciation, elle instaure son propre espace en transformant le lieu qu'elle occupe provisoirement. Elle se signifie en tant que parole moins par la fonctionnalité de son cadre, que par l'aménagement spatial auquel elle procède à l'instant de sa profération. En ce sens elle peut être partout et nulle part à la fois ; son nomadisme la rend présente en toutes circonstances.

L'exemple le plus marquant se rencontre dans *Fadjal*, avec le vieux conteur. A intervalles réguliers celui-ci fait retour dans le film, accompagné généralement de la petite troupe d'enfants qui l'écoutent. Le plus sou-

---

9. Pour les pragmatiques (*cf.* F. Récanati : *La transparence et l'énonciation*) un énoncé verbal peut être analysé du point de vue de son contenu, de sa signification (c'est le « type ») ou en tant qu'événement toujours circonstancié (c'est le « token »).

vent au pied d'un arbre (chaque fois différent) mais aussi sous un appatam, à l'ombre d'un abri collectif ou contre une palissade, il s'installe et déploie la parole. Peu de conditions suffisent, mais elles sont nécessaires.

La présence du public, d'abord, fait des enfants du village. Un dispositif spectaculaire sommaire peut ainsi surgir, avec l'acteur principal (le conteur) et, face à lui, son auditoire qui sera chargé, par ses questions et ses réactions (que quelques contre champs ont pour tâche de montrer), de relancer la parole. Il importe aussi de délimiter l'espace, particulièrement au-delà du conteur : tronc de baobab, palissade, appatam deviennent alors les opérateurs scéniques du verbe. Enfin quelques attributs désignent la fonction centrale du récitant : la natte sur laquelle il s'asseoit, la tenue vestimentaire traditionnelle et la lance qu'il tient à la main. Si simple soit-il, un cérémonial toujours souligne le caractère événementiel de la parole et en marque la valeur sociale. Elle est la mémoire vivante de la communauté, comme le montre si bien *Fadjal*.

Elle est aussi le régulateur des tensions collectives. Précisément la simplicité du dispositif dont elle a besoin permet de la convoquer dans les occasions et les lieux les plus divers. La cour de la concession — à la fois publique, quotidienne et délimitée — remplit le plus souvent cet office, comme dans *Adja-tio* ou *le Destin* ; mais c'est aussi l'enceinte d'une pièce qui pourra servir de cadre, particulièrement lorsque la parole est liée à quelque différend « officiel » et familial (héritage, demande en mariage, remise de la dot, etc.), comme dans *Muna moto*, *le Wazzou polygame*, *Dalokan* ou, sur un autre registre, *Notre fille* et *Ablakon*.

Pour assurer pleinement sa fonction sociale et conserver la force de cohésion qui est la sienne, la parole doit alors concilier les termes d'une contradiction. D'une part elle doit pouvoir intervenir en de multiples occasions, au risque d'une certaine banalisation ; d'autre part, elle doit conserver son caractère événementiel. Pour cela elle ne peut s'élever et se déployer qu'après avoir instauré son espace propre, nettement démarqué de l'espace quotidien.

Toutefois ce code social, extrafilmique, ne limite pas

son pouvoir au seul réglage de la diégèse, il a aussi une incidence sur le traitement narratif. Comment le film peut-il, au-delà d'une écriture fondée sur la transparence, rendre compte de la coupure que la parole instaure avec l'espace et le temps quotidiens ? Précisément et d'abord, par l'effet de suspension narrative que la valeur monstrative de la scène produit ; ensuite, par une intervention aux niveaux simultanés de la diégèse et de la conduite du récit, en jouant sur la fonction catalyse [10].

Ainsi en va-t-il dans *Djeli*, avec l'épisode du conseil familial. Celui-ci est traité en deux syntagmes : *a)* une séquence au cours de laquelle on suit la rencontre de l'oncle et du père, son cadet, puis leur trajet jusqu'à la maison ; *b)* une scène au cours de laquelle se déroule la palabre.

Celle-ci ne débute vraiment qu'au moment où le père invite son frère aîné à donner les nouvelles. Jusque-là il ne s'agissait que de préparatifs, avec la rencontre, le trajet, l'installation, l'offrande de la calebasse d'eau. Or ces étapes successives sont longuement développées, suivies dans leur quasi-intégralité. Une sorte de suspense précède le moment où l'affrontement verbal aura lieu. La fonction catalyse de ces diverses composantes actionnelles est convertie en une valeur « intensive », ajoutée à la confrontation à venir.

L'effet est particulièrement souligné avec la séquence de la rencontre et du trajet, puisqu'on va suivre attentivement le père d'abord, l'oncle ensuite, leur rencontre et salutations, la marche vers la maison enfin, sans ellipse notable. Par rapport aux seules normes de l'efficacité narrative, assurément, ce développement n'a guère de motivation. Or, rétrospectivement, une justification sera fournie : le père s'étonne que son frère aîné ne l'ait pas, suivant la coutume, convoqué chez lui ; à quoi ce dernier répond : « Quand on a viande à faire cuire, on

_____

10. Roland Barthes (« Introduction à l'analyse structurale des récits », in *Poétique du récit*, Seuil, « Points »), la fonction catalyse se distingue de la fonction cardinale en ce sens qu'elle fait avancer le récit sans en constituer toujours un des moments de « risque » (un de ces moments où les événements racontés débouchent sur une alternative).

se déplace vers celui qui a le feu. » Ainsi l'insistance sur les déplacements et parcours longuement suivis (en panoramiques et travellings d'accompagnement) soulignait leur non-conformité aux usages et annonçait l'importance de la palabre à venir.

La fonction « catalyse » qui, hors des codes culturels qui en sous-tendent la lecture, semblerait aller, par l'extrême ralentissement qu'elle produit, jusqu'à l'enlisement du récit, signale, annonce et prépare la venue de la parole, et la démarque du régime narratif ordinaire.

D'une manière semblable fonctionne le plan qui, dans l'Exilé, précède la deuxième assemblée de la Cour royale. Au syntagme précédent on a vu les deux frères travaillant au champ et évoquant leur amour pour les filles du roi. Celui-ci, à l'arrière-plan, les écoute puis s'éloigne. En montage « cut », un cadrage serré laisse apparaître ensuite le plafond d'une pièce ; un panoramique vertical descend bientôt à la rencontre d'un homme, torse nu, assis sur le rebord d'un lit, en train de s'habiller ; on reconnaît le roi. Du syntagme précédent à ce plan-ci, aucune continuité actionnelle, nulle relation n'est véritablement perceptible. Une sorte de régime énigmatique s'installe au cours de ce long plan-séquence (1' 3'') où l'on suit seulement le roi en train de se vêtir. Seuls ses vêtements d'apparat, peu à peu visibles, disent que ce plan a une visée projective ; orienté vers l'aval et non vers l'amont du récit, il annonce l'assemblée à venir. Tout se passe comme si avant l'entrée en scène du principal acteur, le spectateur était convié côté coulisses. Rupture diégétique, affleurement du code de l'énigme, minutieuse observation des préparatifs, le film dit là encore l'importance du verbe qui va se déployer.

Quel que soit son contenu, la parole, telle que la développent nombre de films africains, relève prioritairement du « token ». Elle est aussi un moment social singulier [11] ; par là elle doit se démarquer du quotidien en procédant à un agencement particulier de l'espace.

_____

11. Pour cette raison aussi, elle corrige le caractère « individualiste ». Parce qu'elle réunit une assemblée, la scène redonne au collectif son importance et rectifie l'individualisme que suscite la matrice singulative.

En retour un égal effet de rupture se lit dans le traitement narratif : outre le régime monstratif qu'elle mobilise majoritairement, diverses procédures de marquage préparent le spectateur à sa venue, le plus souvent au prix d'un fort ralentissement actionnel et d'une inflation de la fonction catalyse. S'il revient à la parole le droit de raconter, il appartient au film de montrer le spectacle de cette parole-acte.

La parole dégradée

Source de cohésion sociale et d'enracinement historique, appartenant pleinement à la culture africaine, on comprend que la parole puisse manifester une si forte présence dans le CNA, non seulement en tant que fait social digne d'être montré (elle ne se distinguerait alors guère des activités quotidiennes) mais surtout en tant que rituel au double réglage, profilmique et filmique. C'est donc le « background » social et historique d'une culture qui nourrit directement les formes narratives singulières que l'on s'est efforcé de faire apparaître.

Mais qu'advient-il de cela lorsque, de par son monde de référence, tel film s'enracine dans l'univers citadin, par exemple, ou exploite presque exclusivement le stéréotype de la modernité ? Il semble que l'affaiblissement des valeurs traditionnelles entraîne, au niveau du système filmique, une forme dégradée de la parole.

Un premier déplacement, corollaire du monde représenté, tend à sédentariser le verbe ; il perd son nomadisme spatial au profit des lieux institutionnels, comme l'église, l'école ou les bâtiments publics. La parole y est certes valorisée (elle est là le mode de communication privilégié) mais au prix de son « parcage », de sa coupure d'avec le fonctionnement social communautaire. Dans *Kodou*, par exemple, l'opposition entre l'hôpital (comme composante de la modernité) et le rituel de guérison (axe de la tradition) souligne cette transformation. C'est au sein d'un espace instauré au moment même du rituel (les femmes tracent un large cercle à même le sol) que la parole du féticheur va s'élever. Inversement, le médecin-chef tiendra sa conférence sous un appatam aménagé à cet effet et construit dans l'enceinte de l'hôpital.

Précisément ce lieu institutionnel répond aux nécessités de la parole-acte. Son emplacement d'abord (à l'extérieur des salles de soins et d'hospitalisation) introduit une rupture entre l'acte médical et le discours réflexif sur ce même acte. On soigne ici, on commente ailleurs. Ensuite la disposition des sièges reconduit la frontalité de la place magistrale et celle de l'auditoire. Les formules rituelles par lesquelles le public manifeste sa participation active au conte sont ici remplacées par le stylo et la prise de notes. Le maître de la parole est aussi celui du savoir qu'il transmet à travers un langage spécialisé. Le verbe se prolonge par l'écrit ; au reste les panneaux indicateurs, qu'un gros plan montre dans l'enceinte de l'hôpital, disent qu'on est entré dans l'aire/ère de l'écrit et de la modernité.

D'autres lieux, tout aussi institutionnels, seront alors les sièges privilégiés d'une parole désormais sectorisée : l'école, par exemple, ou l'Université, comme dans *le Certificat, N'Diangane, Bicots-nègres, nos voisins, l'Herbe sauvage* ou *Demain, un jour nouveau* ; les lieux de culte comme dans *la Chapelle* ou *Fadjal* ; les salles de réunions comme dans *En résidence surveillée, Xala* ou *Comédie exotique* ; voire les bureaux administratifs (*Saïtane, l'Etoile noire, Lambaye, le Nouveau Venu*) les salles de tribunal (*Patanqui, Adja-tio*) ou encore les centres de décisions politiques *(En résidence surveillée, Finyé)*. On remarquera qu'assez curieusement — mais est-ce si curieux que cela [12] ? — l'un des lieux où la parole est souveraine du moins en régime démocratique, n'apparaît jamais à notre connaissance : l'assemblée des parlementaires, sinon sous forme d'une citation ironique dans *la Noire de...* et sous son aspect extérieur, non dans son fonctionnement.

Bien que ces lieux soient aménagés de façon à ce que le verbe y exerce une réelle souveraineté, un net déplacement s'est produit par rapport aux modèles de la tra-

---

12. Dans sa thèse, Pierre Haffner souligne l'ambiguïté fondamentale que le réalisateur africain entretient dans son rapport au pouvoir et au politique.

dition : la parole y a perdu un trait essentiel. Elle était le fait d'un individu qui par son savoir-dire s'adressait à la communauté et en assurait la cohésion ; elle est le fait d'un acteur social s'adressant à un public particulier et, d'une certaine manière, spécialisé. Néanmoins elle est encore « ritualisée » et fait l'objet — du fait même de l'aménagement préexistant de l'espace — d'une mise en scène. Au reste, les modalités de son filmage ne subiront guère de transformation : un égal effacement de l'énonciation filmique s'y donne à lire.

Mais c'est hors de ces lieux institutionnels que la parole subit ses plus fortes distorsions, jusqu'à se dégrader totalement et se réduire à sa simple valeur verbale. Tout se passe comme si, aucun dispositif n'en contrôlant le réglage, elle était livrée à elle-même. Combien de scènes où un personnage s'adresse à un interlocuteur pour discourir sur quelque grande cause. Parfois les conditions de production et de distribution font obligation de cela, comme dans *N'Gambo* ou l'on voit et entend un médecin discourir sur les dangers de l'avortement et la nécessité de la contraception. La scène se déroule dans le bureau de l'hôpital et dure 3' 25''. Le film, réalisé pour la télévision zaïroise, s'inscrit dans une campagne d'information sanitaire. La visée didactique emprunte alors le canal verbal pour tirer bien longuement la morale de l'histoire.

Mais le plus souvent aucune contrainte particulière ne motive apparemment un flot discursif au cours duquel le verbe se fait aisément verbeux. Cette parole peut alors surgir en tous lieux dès lors qu'elle n'est soumise à aucune forme de rituel. Toutefois quelques situations-types, devenues clichés à force de répétition, se repèrent dans l'ensemble de la production. C'est tout d'abord le salon, la pièce qui, dans le paysage urbain, remplace la cour de la concession. Dans *Kamkamba*, par exemple, le héros ira s'asseoir de salon en salon pour tenter de convaincre quelques personnages influents de l'aider à résoudre son problème. Ailleurs *(Demain, un jour nouveau)* c'est un Président qui se plaindra, au sein de ses luxueux appartements, des dures réalités de sa mission ! L'automobile, filmée de l'intérieur, devient aussi l'un de ces lieux privilégiés où le verbe prend ses aises : le trajet du village à la capitale, dans *Adja-tio*, sera l'occasion d'un discours en règle sur les avantages et inconvénients de l'héritage traditionnel comparé à la loi moderne. Le bar enfin, ce lieu de rencontre par excellence, se prête naturellement aux épanchements les plus divers. Dans *Suicides*, par exemple, il donnera l'occasion à un médecin-psychiatre de faire étalage d'une philosophie de bazar.

Ramenée à un flot verbeux, la parole est alors méconnaissable. L'espace et les conditions dans lesquelles elle se profère n'étant plus réglés par l'ordre social de référence, le premier niveau de mise en scène disparaît. Quant au second, celui du traitement filmique, parce qu'il obéit encore aux principes de la plus grande transparence, il ne peut que s'ouvrir sur une scène vide. Si l'on ajoute à cela la très faible motivation narrative de ce verbal (les informations qu'il distille sont peu performantes au plan du récit et ne le font guère progresser), on conçoit que ces plages habitées de longs discours conduisent la narration filmique au bord de l'enlisement.

Tout se passe comme si une étrange confusion s'était installée : parce qu'elle impose le respect, parce qu'elle trouve en elle son propre contrôle, la parole — la vraie — ne saurait être interrompue sous peine de sacrilège ; or ce respect se serait étendu à toute forme d'expression verbale. La force de la tradition aurait abouti à quelque cécité dès lors que ne serait plus distinguée la parole du verbe. Ce serait oublier que celle-là est la forme scénique, rituelle et achevée de celui-ci, et que le respect dû à l'une ne fait pas obligation à l'autre.

La parole structurante

Parole dégradée ou affirmant sa plénitude, on aura remarqué que dans les deux cas sa présence filmique impliquait une hiérarchie : l'image s'effaçant, dans ses marques d'énonciation comme dans son écriture, au profit du verbe. Le réglage premier repose sur une subordination du visuel au sonore phonématique, sur la négation de la complexité audiovisuelle.

Cependant cette pratique largement dominante ne

saurait masquer les moments, encore mineurs, où la relation du son et de l'image s'établit sur d'autres bases, plus riches et plus complexes.

Sur le refus du principe de subordination, par exemple. Pareille pratique, qui joue sur le renvoi mutuel des deux composantes et travaille dans l'ordre de l'écriture filmique, reste assurément fort rare au sein du CNA où seul Djibril Diop Membety, selon nous, en fait un usage constant. Ainsi en va-t-il de la scène sur la falaise dans *Touki-Bouki* (plans 167 à 170).

Ces quatre plans s'intègrent dans un moment narratif de plus vaste amplitude : celui des retrouvailles amoureuses de Mory et Anta au bord de l'océan ; cependant ils fondent leur unité sur l'échange verbal continu des deux personnages. Aucun hiatus diégétique, il s'agit bien d'une scène qui, au plan visuel, s'ordonne ainsi :

a) Dans un effet de flou et de contre-jour (procédure de démarcation intradiégétique), une barque à voile passe, en plan d'ensemble, puis disparaît à droite.

b) En demi-ensemble, on découvre Mory et Anta de dos qui, apaisés, bavardent. Ils sont sur un promontoire rocheux qui surplombe la mer. A côté d'eux, la moto et le trophée posé à terre.

c) En contrebas (demi-ensemble) un bateau à moteur traverse lentement le champ et sort à droite.

d) En gros plan la croix targui fixée à l'arrière de la moto ; la mer au fond.

Pendant tout ce temps se développe l'échange verbal au cours duquel les deux héros imaginent leur croisière sur le paquebot qui les mènerait en France.

Cet échange, précisément, relève à première vue plus du verbal que de la parole au sens plein : non seulement il répond à un usage individuel mais encore il a une fonction narrative évidente puisqu'il exprime le rêve d'évasion, moteur des actions à venir. Or le travail conjoint de l'image et du son va produire une mise en scène proprement filmique qui, en quelque sorte, fera de ce verbe une parole « moderne ».

Sur les quatre plans, un seul montre les acteurs ; les trois autres articulent sur le champ central deux fragments d'espace contigu (les deux bateaux) et un fragment prélevé (la croix targui) ; de plus, et contrairement à l'usage le plus répandu, les personnages sont filmés de l'arrière. Dans l'ordre du visuel, assurément, cette scène se montre peu orthodoxe. C'est au verbal que reviendra le soin d'homogénéiser le syntagme grâce à son caractère continu, inversant ainsi le processus habituel. Alors que dans la scène, telle qu'elle a été observée jusqu'ici, la bande-images s'organisait de manière à faire de la parole un foyer de convergences, c'est ici le verbal qui rassemble ce qui tend à la dispersion.

Divers effets résultent de cette nouvelle relation audiovisuelle. Sur l'image de la barque à voile (plan a) on entend « off » : « ... tu sais qu'il y a un bateau qui part demain... » Une sorte de flottement sémantique, reposant sur une ambivalence maintenue, s'installe : le verbe surgit comme par association d'idées (la barque suscitant la réminiscence), mais en même temps l'image apparaît comme une sorte d'illustration ironiquement dérisoire du rêve de Mory. Ce dernier sens, du reste, se cristallise au plan c. Le bateau à moteur s'offre comme le substitut ironique du paquebot et de la croisière qu'évoque à ce moment-là le discours.

Ce flottement sémantique, en retour, gauchit la visée fondamentalement monstrative assignée à la scène. Les deux plans de bateaux, certes, élargissant le champ en direction d'un plus vaste espace contigu (procédure orthodoxe) mais ils sont aussi le rappel d'un ailleurs. Si elle se construit encore sur le principe de l'« ici-maintenant », la scène essentiellement s'ouvre sur un ailleurs qui la traverse. Ailleurs double : c'est d'abord, sur le mode ironique, l'ailleurs du voyage, du rêve parisien, l'ailleurs diégétique donc ; c'est ensuite un ailleurs textuel : à la fin du film cette même barque traversera à nouveau l'écran, comme le retour mélancolique, douloureux et dérisoire de la réalité.

Conjoints, non plus sur la base d'une hiérarchie, mais suivant une relation de mutuel renvoi, l'image et le verbal instaurent une nouvelle « parole », dont l'expression n'est plus seulement faite d'une matière phonématique mais aussi audiovisuelle. La mise en scène, qui passe ici par un travail d'écriture spécifiquement filmique, donne alors au verbal et à l'image réunis, la force et le pouvoir de la parole. Certes, et on en conviendra aisément, cette nouvelle « parole » entretient avec celle qui fonde l'oralité une relation largement métaphorique ; toutefois elle ouvre une voie, encore trop rare, qui permettrait d'échapper à l'emprise omnipotente de la monstration.

Il est cependant d'autres modes relationnels, plus fréquents que celui-ci, bien que minoritaires par rapport à la construction scénique classique. Sans exclure le principe de subordination, ils en modifient néanmoins la valeur.

Dans la scène à la finalité monstrative, parce que l'image s'organise de manière à s'effacer devant lui, le verbe est comme porté au pouvoir par elle, sans qu'il ait, en retour, à en assurer l'exercice sur elle. Sa souveraineté reste passive. Toutefois il advient qu'elle se fasse plus active et que la parole exerce sur l'image diverses contraintes. Son pouvoir, alors, n'a plus seulement cours dans l'univers diégétique ; il se manifeste dans l'ordre filmique, soit parce qu'il commande et règle la venue de composantes diégétiques, soit parce qu'il impose, au plan de l'écriture filmique, diverses particularités.

Ainsi, la parole, comme fait social lié à la tradition, pourra intervenir très tôt en amont du récit, particulièrement lorsqu'elle fournira la fable même du film. Paradoxalement les productions africaines empruntent relativement peu de leurs sujets à l'oralité. Le conte fournit rarement la trame entière d'un film. La *Bague du roi Koda*, *Toula*, *Korogo* et *Naïtou* sont cependant des exceptions manifestes. La parole, celle du conte et de l'espace culturel oral, fournit ici le « scénario » et gère l'ensemble des composantes diégétiques ainsi que la logique narrative et événementielle. Elle-même s'inscrit parfois dans le film sous la forme d'une voix « off » commentatrice (*la Bague du roi Koda*, *Toula*). Si les adaptations, au sens strict, sont encore rares, les composantes diégétiques directement inspirées de l'oralité sont, elles, beaucoup plus présentes, soit sous forme d'incrustations narratives (comme l'évocation du passé originel dans *Djeli*), soit par la présence d'un personnage mythique (*Ilombé*, *la Femme au couteau*, *Sur la dune de la solitude*), soit encore en s'inspirant assez librement d'un fond populaire *(la Case enfumée, Wend Kuuni).*

Bien que le verbe, en tant que parole, soit ici l'organisateur premier de nombreuses composantes diégétiques et qu'il exerce ainsi un pouvoir immédiat sur la narration filmique, cela ne transforme guère le mode de traitement filmique qui reste encore placé sous le principe dominant de la monstration. La visée référentielle du régime fictionnel ne subit guère de distorsions.

En ce sens, plus intéressantes sont les figures filmiques spécifiquement marquées du sceau de la parole, particulièrement lorsque celle-ci visualise ses propres marques d'énonciation.

Se trouve alors convoqué un personnage central : le griot. C'est lui, par exemple, qui, témoin du drame villageois, en rapporte les péripéties dans *Niaye*. Le récit se dédouble, avec un premier niveau montrant le griot à la fois racontant (c'est alors un personnage-narrateur) et réagissant aux événements (il s'éloigne du village pour y revenir plus tard) et un deuxième qui visualise les péripéties. D'une autre manière, mais en respectant le même principe, *Jom* met en scène un conteur qui développe trois récits. Chacun d'eux est indépendant des autres mais, homogénéisés par le retour constant sur le maître de la parole, une sorte de communauté sémantique les unit : la quête de l'honneur dans l'exercice de la parole donnée et tenue.

Sans toujours couvrir, comme ici, la totalité du récit, le griot, intégré à l'univers diégétique, intervient parfois comme personnage-narrateur intradiégétique, assumant la responsabilité d'un récit-images second. C'est le cas dans *Fad'jal*, avec le vieux conteur (qu'un retour ultérieur examinera plus attentivement), ou dans *Djeli* avec les griots-musiciens. Ces quelques exemples sont à distinguer, bien entendu, des multiples figures de griots intervenant comme personnages de l'univers diégétique (tante Oumy, par exemple, dans *Touki-Bouki*).

Parce que le récit qu'ils dispensent se limite au seul verbal — sans « mise en images » —, ils apparaissent dans leur fonction sociale attendue et relèvent donc de l'activité générale de monstration : ils sont montrés comme des acteurs sociaux, au même titre qu'un marchand, un paysan ou un pêcheur.

Venu du fond des âges, composante fondamentale de l'oralité, le griot transfère au cinéma son pouvoir de conteur lorsqu'il prend en charge, en tant que personnage-narrateur, une part de la narration filmique. La parole se trouve alors doublement figurée : en tant qu'énoncé, en tant qu'énonciation.

Il lui arrive de se manifester sous d'autres formes, comme dérivées et pourtant fort prégnantes. C'est le cas notamment des mentions écrites qui, en surimpression de l'image mouvante, scandent la narration du *Wazzou polygame*.

Elles font véritablement office de commentateur, comme en témoignent déjà les trois premiers cartons : « Voici Garba, l'amoureux de notre histoire », « Et voici le Wazzou, El Hadj Saley. Il possède deux femmes et un commerce florissant », « Voici enfin Satou, la fiancée de Garba ».

La scansion du présentatif « voici » et le recours au possessif commun « *notre* histoire » articulent sur le récit filmique premier une voix de « bonimenteur » qui parle directement au public pour l'apostropher et l'inviter à une sorte de communion. L'énonciation se donne avec une certaine ostentation, renforcée par la surimpression de l'écrit sur l'image mouvante. Assurément, la figure du griot n'est pas visualisée, mais sa fonction n'en surgit qu'avec plus de force.

Avec *Lettre paysanne* c'est encore une autre modalité qui se manifeste, en un sens plus ambiguë. D'une part elle répond à une forme familière du cinéma occidental : une voix « off » commentatrice parlant à la première personne ; d'autre part, en raison de son discours effectif, elle assume la fonction de griot dès lors qu'elle incarne la mémoire du village, ainsi que les premiers mots le laissent entendre : « Vous allez vivre un moment chez moi. » Tout comme le conteur de *Fad'jal*, la voix « off » appartient au village dont elle entreprend de conter l'histoire ; de plus l'auditoire se trouve interpellé et sa présence est ainsi requise. Au reste, comme il advient dans la séance de conte, le public est de temps à autre sollicité et le conteur dialogue avec lui : « j'ai tourné ce film durant deux saisons des pluies », « le spectateur va se moquer de nous ». La répartition des rôles (et donc l'amorce d'un rituel) est à la fois nettement fixée, désignée et rappelée par le verbe.

Qu'il passe par l'image mouvante (comme dans *Niaye* et *Jom*), par les mentions écrites *(le Wazzou polygame)* ou le verbal *(Lettre paysanne)*, un aspect caractéristique de la parole s'inscrit dans le discours filmique : la désignation constante et la localisation de l'acte d'énonciation ; en retour il contribue à donner à ces films une facture singulière, à verser probablement au dossier de l'authenticité africaine.

Plus discrets mais, corrélativement, plus nombreux et divers, d'autres signes parcourent la grande majorité des films. Directement liés à la parole comme fait social et au rituel qu'elle implique (objets ou attributs multiples, variables selon les époques, les circonstances ou l'aire ethnique — et dont *l'Exilé* donnait quelques exemples), ils participent le plus souvent de l'activité générale de monstration, néanmoins il arrive qu'ils gauchissent la modalité énonciative et impriment ainsi leur marque dans la structure discursive du film.

Antoine Kakou a montré le rôle que jouent les proverbes [13] dans les fims de Sembène Ousmane, et sa démonstration aurait pu s'étendre à de nombreux autres films (*cf.* dans ce chapitre même le proverbe dont use l'oncle dans *Djeli*). Certes leur valeur référentielle motive d'abord leur présence dans le film mais, travaillée et systématisée, celle-ci peut intervenir dans l'énonciation filmique, particulièrement lorsqu'elle rythme un affrontement. Ainsi de nombreux proverbes vont servir d'attaque, de relance argumentative ou de conclusion à la dispute entre Madior, Biram et Saxewar dans *Ceddo*. Le verbe ainsi frappé relance la scansion scénique.

C'est un rôle similaire que jouent parfois certains objets du rituel. Selon un itinéraire semblable à celui

---

13. « Lecture des textes filmiques de Sembène Ousmane. Emblèmes et métaphores d'un conteur ». Thèse de 3e cycle, EHSS, 1980, sous la direction de Christian Metz. L'auteur consacre un chapitre important à montrer que le cinéaste Sembène joue, par bien des aspects, le rôle du conteur traditionnel.

du masque offert par Diouana à ses patrons, dans *la Noire de...*, le samp, dans *Ceddo*, va accomplir tout au long du film un périple composé de variations sémantiques et symboliques [14] tout en scandant la structure narrative du film : il surgit dans les phases-clés du récit comme pour en souligner l'importance.

Sitôt que, travaillés et organisés, ils débordent leur simple valeur référentielle, les signes multiples (verbaux et visuels) qui accompagnent la parole dépassent la fonction monstrative pour participer de manière active à l'acte général d'énonciation filmique. Ainsi à la fois inscrite dans l'aire culturelle de référence et réarticulée sur le travail d'écriture filmique, la parole pourrait bien engager le CNA sur la voie de la spécificité.

Elle pourrait même donner naissance, bien que les exemples réels soient encore très rares, à des modalités narratives nouvelles, en rupture avec le régime représentatif classique.

Quelque chose de cela déjà se donne à lire dans le développement de la fonction phatique [15] et dont *l'Exilé*, à nouveau, propose une actualisation. L'on sait que la séance de conte, suivant la tradition, répond à des contraintes assez souples, néanmoins nécessaires pour que la communication s'établisse avec profit. L'une d'entre elles veille à ce que l'auditoire participe activement : gestuelle, formules d'approbation et de relance, diverses manifestations (variables selon l'aire culturelle) sont là, qui fixent l'activité du public.

Une figuration de cela apparaît dans les épisodes de la Cour royale. Lorsque le roi s'adresse à ses sujets, d'une part, le griot souligne musicalement les moments du discours, d'autre part, on entend à intervalles plus ou moins réguliers un murmure collectif d'approbation. Bien qu'il ne s'agisse pas spécifiquement d'une veillée de conte, le film montre une donnée du rituel propre

---

14. Antoine Kakou, thèse citée, en propose une description précise, notamment p. 256.

15. Sur ce point on pourra consulter la communication de L. Youssouf Ould Brahim au Colloque *Théâtralité des arts de la parole* (Limoges, 1985, actes à paraître) : « Tradition et théâtralité dans le cinéma nigérien ».

au développement de la parole : elle demande à être ponctuée et relancée.

Ces diverses procédures répondent très exactement à la fonction phatique telle que la définit Roman Jakobson : un ensemble d'opérations chargées de veiller au maintien du contact et au bon fonctionnement de la communication. Que *l'Exilé*, comme d'autres films du reste, en assure la représentation ne surprend pas dès lors que cela s'inscrit dans l'activité générale de monstration, mais qu'un tel fonctionnement soit renvoyé sur l'acte de communication filmique lui-même présente assurément plus d'originalité. En effet le discours filmique, dans sa structure, fait intervenir la fonction phatique en jouant sur l'emboîtement des récits.

Les conditions d'énonciation du récit premier, celui que conte l'ambassadeur à ses amis européens, fait l'objet, ainsi qu'on l'a mentionné, d'une mise en scène qui reproduit l'ordre spatial du rituel : le récitant est face au public dont divers gros plans soulignent la forte attention. Le salon, avec son aménagement préalable, favorise bien sûr cette disposition, mais c'est le montage (et le jeu des champs/contre-champs) qui construit filmiquement ce face à face. Le déroulement du récit second sera alors, à intervalles réguliers, ponctué, et comme suspendu, par les images du récitant premier. Procédure classique, dira-t-on, par laquelle le régime fictionnel maintient l'étagement des mondes de référence. En revanche, plus étonnants sont ces plans de l'auditoire premier qui ponctuent et « trouent » eux aussi le récit second. Une étrange relation spéculaire s'établit avec le spectateur de *l'Exilé*, par laquelle l'auditoire premier renvoie au second son image métaphorique et l'invite à montrer la même attention que celle qui se lit sur les visages. A la mise en abîme des récits répond une égale mise en abîme du public, rappelé ainsi à l'ordre de la communication filmique.

A diverses reprises, déjà *Fad'jal* s'est trouvé sur le chemin de l'analyse, c'est que sur plus d'un aspect il avait valeur d'exemple. Il en est deux auxquels allusion a été faite et sur lesquels il convient de revenir car la parole y joue un rôle tout à fait singulier : non seulement elle rythme le discours filmique mais encore elle en fait basculer le régime fictionnel[16].

Les séquences d'apparition du vieux conteur, par leur retour régulier, vont scander (tout comme le verbe doit être frappé dans l'oralité) la narration, si bien que les séquences d'activités villageoises (pêche, récolte, jardinage, fêtes, etc.) non seulement sont cadencées par leur alternance avec le conteur mais encore lui sont subordonnées. Un sens second ne manque pas alors de sourdre : la vie du village ne serait-elle pas depuis le fond des temps sous-tendue par cette parole en acte ? Le rythme n'est plus seulement ici un ornement supra-segmental, il est constitutif de l'organisation narrative et de son activité connotative.

Le pouvoir de la parole s'étend encore au-delà lorsqu'elle fait basculer le régime fictionnel. Notamment quand l'opposition entre le passé et le présent du village se trouve annulée par le jeu du verbe et de l'image, comme si la force de celui-là contaminait celle-ci. Une interpénétration des deux univers a lieu, et le passé semble se perpétuer dans le présent[17]. Par cet agencement singulier le film dit alors le sens et la portée véritable de la parole : elle inscrit le passé au cœur du présent afin de conduire son devenir. N'est-ce pas ce que, très récemment et de manière radicalement neuve, a entrepris un film comme *Yeleen* dont le propos et l'organisation sont à cet égard exemplaires ?

Bien qu'il n'entre pas directement dans le corpus, pour être angolais et donc lusophone, un film cependant doit être signalé car il semble bien ouvrir lui aussi une voie radicale et montrer comment la parole, liée à la tradition et au passé, peut contribuer à promouvoir des formes narratives et filmiques neuves : *Nelisita* de Ruy Duarte. Sur l'entrecroisement des trois niveaux de significations joue le film : niveau réaliste (sécheresse, misère quotidienne, souci de dignité humaine), niveau mythi-

---

16. Dans « Fad'jal ou les perversions d'un genre » (*Cinémas et réalités*, CIEREC, Saint-Etienne, 1983), nous avons longuement analysé, à l'occasion d'une réflexion sur le documentaire, le fonctionnement détaillé de ce « basculement ».

17. On trouvera dans notre thèse (1re partie, pp. 72-77) une analyse détaillée de ce processus.

que (figures et structures des contes dont le film s'inspire sont dramatiquement présentes), niveau allégorique (ouverture métaphorique sur les luttes présentes et à venir du Tiers-Monde et de sa libération).

Par le tressage de ces trois niveaux, *Nelisita* retrouve la fonction sociale et initiatique de l'oralité qui doit transmettre à la fois des formes et des significations, allier la tradition à la situation présente et au public, transmettre de manière synthétique un savoir en lui-même étagé sur plusieurs niveaux.

Ce caractère syncrétique du récit — et qui dans les contes initiatiques appelle une véritable exégèse [18] — ne trouverait-il pas ses fondements dans l'ambivalence matricielle telle qu'analysée au chapitre précédent ? En ce sens *Touki-Bouki* pourrait bien apparaître, non sans quelque paradoxe, comme le film le plus « traditionnel » de notre corpus ; entendons par là qu'il a su créer des formes neuves, spécifiquement cinématographiques (en rupture avec le régime narratif-représentatif dominant) en explorant le principe du syncrétisme, base de l'oralité.

En ce sens des films comme *Fad'jal*, *Yeleen*, *Nelisita* ou *Touki-Bouki*, parce qu'ils inscrivent la parole au cœur du fonctionnement filmique, parce qu'ils en déplacent la fonctionnalité qui passe de la monstration à la narration, répondent par des formes narratives neuves à la double contrainte de la tradition culturelle et de la spécificité cinématographique. Par là s'indique une voie grâce à laquelle le cinéaste deviendrait ce « conteur » dont le modèle est si souvent revendiqué [19], mais si peu souvent retrouvé. Paradoxalement c'est dans l'invention de formes narratives neuves, spécifiquement liées au médium cinématographique, que la tradition orale se perpétuerait en se réactualisant.

La chose est connue depuis bien longtemps : la langue est toujours bifide, elle ment et elle dit vrai, elle conjugue le meilleur et le pire. Le CNA en fait l'expérience. Non réglé, ni filmiquement, ni référentiellement,

---

18. Un conte initiatique comme *Petit Bodiel*, par exemple (Amadou Hampaté Bâ, NEA, Abidjan), en donne une excellente illustration.

19. La lecture des entretiens avec 50 cinéastes publiés dans *Cinéastes d'Afrique noire*, op. cit., est sur ce point tout à fait éclairante.

le verbe peut se perdre en développements verbeux où l'assertion le dispute bien souvent à la platitude. Mais sous la forme de la parole, comme fait social et culturel, comme mise en scène du profilmique aussi bien que du filmique, il confère à ce cinéma une large part de sa spécificité et de son authenticité.

A la différence du régime narratif classique occidental, le verbal ne se place guère sous l'égide du principe d'efficacité : logique événementielle et continuité spatio-temporelle dépendent peu des informations d'origine linguistique. L'ellipse, en tant que procédure d'« élagage » et d'accélération narrative, n'entre guère dans ce cinéma. La parole ne sert pas à écourter, pas plus qu'elle ne saurait être écourtée. Au contraire elle demande à être écoutée.

Que se manifeste là un respect du verbe qui prend sa source dans la culture orale ne paraît guère faire de doute. Dès lors, point de parole, au sens traditionnel, sans le rituel d'une mise en scène car elle est tout à la fois spectacle, acte social et vecteur de savoir. On comprend qu'elle participe d'une activité générale de monstration puisqu'elle donne à voir et à entendre. Lorsque de nombreux films enregistrent longuement la cérémonie du verbe, ils procèdent à une réappropriation symbolique de l'espace culturel, comme si la duplication audiovisuelle devait à la fois conserver, sauver et réhabiliter un acte social menacé par les mutations contemporaines.

En ce sens la parole serait conservatrice : ne passe-t-elle pas alors par un traitement filmique fondé sur l'effet de transparence et une sorte de degré zéro de l'écriture ?

Mais, sans qu'il s'agisse encore d'une pratique dominante, elle est, en retour, susceptible de travailler l'ordre narratif, d'avoir prise sur l'agencement textuel. Le plus souvent les retombées en sont d'ordre diégétique mais son pouvoir, parfois, s'exerce au niveau structurel. Elle devient alors source de formes neuves mettant en jeu la spécificité filmique. Le cinéaste, dans ce cas, devient ce conteur des temps modernes si souvent invoqué ; et le cinéma peut remplacer, selon l'expression de Sembène Ousmane, « l'arbre à palabres ».

DU CÔTÉ DE L'ÉNONCIATION

Au cours d'une discussion collective, chacun a fait l'expérience de la double écoute : saisi dans le flot de l'échange, je me sais susceptible d'être interpellé ; attentif, tendu, je me tiens prêt à répondre ou à intervenir. A moi, comme aux autres, s'adresse le discours qui circule. Bientôt, la fatigue ou le désintérêt aidant, voici que je « décroche ». Les autres parlent, poursuivent le jeu de l'échange ; je les regarde tandis que mon attention se fait incertaine ; comme si je n'étais plus concerné, je m'absente de l'altercation verbale. Je me contente d'observer. De l'écoute participatrice, je passe à l'écoute flottante.

C'est précisément sur une distinction de ce type qu'Oswald Ducrot attire l'attention lorsqu'il demande à ce que soit nettement distingué « *l'auditeur d'une énonciation — c'est-à-dire celui qui y assiste et la perçoit — et l'allocutaire — c'est-à-dire celui à qui elle est adressée* »[1]. La nécessité de cette distinction souligne en outre la situation paradoxale du spectateur de film dont le statut affiche une ambivalence fondamentale : est-il auditeur ou allocutaire ?

_____

1. « Analyses pragmatiques », *Communications*, n° 32, « Les actes du discours », p. 15.

Au cours d'une scène filmique, deux ou n personnages sont en présence, ils discutent. J'écoute et j'observe ; les personnages n'attendent de moi ni réponse ni intervention ; le ferais-je que cela ne modifierait en rien le déroulement de leur échange. Je suis donc auditeur. Mais dans le même temps, c'est à moi que toute la scène s'adresse ; tout ce qui a lieu est destiné à faire sens pour moi ; je suis l'allocutaire du discours filmique.

Le spectateur de cinéma est un sujet fondamentalement clivé : « auditeur », il se tient à distance et observe comme par effraction, incarnant l'image convenue du voyeur ; « allocutaire », il est saisi comme partenaire au sein d'un procès illocutionnaire. Dedans et dehors, ici et là, il se constitue dans un incessant déplacement, ou plutôt dans l'appréhension simultanée de sa double localisation : il est à la fois dedans et dehors, ici et là[2].

De ce double régime d'adresse, le discours filmique tire la caractéristique de son mode d'énonciation, particulièrement pour ce qui concerne la monstration, fondamentalement ambivalente. A la fois elle montre et elle *me* montre. Tantôt elle semble ne viser personne et s'ouvrir directement sur l'être-là des événements, tantôt elle interpelle celui à qui son discours, devenu brusquement consistant, s'adresse. L'implication spectatorielle oscille entre ces deux pôles, cependant moins sous la forme d'un mouvement alternatif que d'une modulation constamment variable : les événements *me* sont toujours plus ou moins montrés.

Quoi qu'il y paraisse, même lorsqu'elle se fait aussi transparente que possible, l'énonciation filmique implique toujours son énonciataire. Le film toujours construit son spectateur en même temps qu'il s'adresse à lui.

Précisément c'est à examiner cette relation que s'attache ce dernier chapitre. Pour cela, le CNA, en dépit de ses variations géo-historico-culturelles, sera considéré comme un vaste discours filmique qui, tout en se cons-

---

2. C'est là le double aspect contradictoire de la communication. Il y a ce qu'elle dit et ce qu'elle dit en le disant. Pour une réflexion critique plus approfondie, *cf. Des miroirs équivoques. Aux origines de la communication moderne*, Louis Quéré, Aubier, 1982, en particulier pp. 15-43.

tituant, construit son énonciataire. C'est donc à la recherche du spectateur que s'engage ce chapitre, mais d'un spectateur idéal : celui que postule le discours filmique en tant qu'énoncé comme en tant qu'énonciation. Rien ne dit que ce spectateur-là coïncide avec celui, réel ou fantasmé, auquel les réalisateurs, à travers leurs déclarations, disent s'adresser.

Tentative de localisation

Pareil objectif suppose admise l'existence d'un spectateur africain, plus précisément d'un sujet-spectateur africain. Or, pour peu qu'on la pose, la question se trouble. En quoi, par exemple, le sujet « économique », celui qui au guichet fait l'acquisition de son billet d'entrée, nécessiterait-il une spécification sur son origine géoculturelle ? Ce trait n'a guère de pertinence, sinon à être réarticulé sur une approche socio-économique. De façon semblable, le dispositif frontal (le face à face du public et de l'écran), parce qu'il est constitutif des conditions d'accès au film, ne subit guère de variations en passant d'un continent à l'autre.

La distinction metzienne entre le fait cinématographique et le fait filmique n'apporterait-elle alors pas un élément de réponse, qui renverrait la spécificité africaine du côté du filmique et non du cinématographique ? Au reste, la conception du CNA comme un vaste discours *filmique* faisait implicitement sienne cette hypothèse. Néanmoins, on ne saurait oublier que le dispositif scénographique[3] travaille sur le sujet social afin de le transformer en un sujet « spectaculaire » et le conduire vers le sujet « spectatoriel ». Le « cinématographique », quelque part, a donc son mot à dire dans l'émergence du spectateur africain : il conviendra d'en préciser la portée et les zones d'exercice.

---

3. Il convient d'entendre par là l'ensemble des conditions techniques et matérielles nécessaires à la projection et à la réception filmiques (disposition de la salle, cabine, écran, appareil de projection, sonorisation, etc.). Sur cette question, *cf.*, notre thèse, t. II, ch. 1.

A cette fin, une conception spatiale s'avère nécessaire : quelque chose comme, pour faire référence à Freud, une topique du spectateur. En ce sens, être spectateur c'est prendre place. Au sein du dispositif scénographique, bien sûr, mais ailleurs aussi, particulièrement au sein d'un autre dispositif, celui de l'énonciation.

La question sera de savoir si le CNA privilégie certaines figures énonciatives, de quelle manière il les fait jouer et à quelles fins. Il y aura lieu, en particulier, de se demander de quelle façon intervient l'ambivalence constitutive de la monstration pour favoriser les processus d'identification.

Or ces derniers ne peuvent se développer sans une articulation du sujet sur un plus vaste espace qui déborde, tout en les contenant, le cadre strict des conditions de réception filmique : l'espace culturel. Si le sujet spectoriel (celui qui est en condition de réception filmique) ne saurait se confondre avec le sujet social, l'un et l'autre appartiennent au même espace dont ils réinvestissent les valeurs, dans le monde filmique pour l'un dans le monde réel pour l'autre. Le fonctionnement diégétique implique, notamment pour l'élaboration des postulats narratifs et du monde de référence (opérations mentales concomitantes de l'entrée en fiction), le recours au savoir préalable du lecteur-spectateur. C'est à partir de son espace culturel d'appartenance que le sujet spectatoriel dialogue avec le texte filmique, au plan de l'énoncé comme à celui de l'énonciation.

Ainsi la topique spectatorielle comprendrait trois « lieux » fondamentaux : le dispositif scénographique, le dispositif de l'énonciation, l'espace culturel. Le premier relève plus particulièrement du fait cinématographique, le second du fait filmique ; quant au troisième, s'il trouve à se réinvestir dans les deux précédents, il les déborde ; ce faisant il permet la réinscription, mais au plan symbolique, du sujet social dans le processus de lecture du texte. A partir de leur articulation se construit le spectateur « idéal ». En ce sens ce dernier se démarque de celui auquel les réalisateurs s'adressent à travers leurs déclarations et leurs discours d'intention : ils visent directement un sujet social coupé de la médiation filmo-cinématographique.

Le dispositif scénographique en question ?

Prendre place, au cinéma, c'est d'abord répondre corporellement aux injonctions de la machine cinématographique. Or celle-ci, dans ses principes fondamentaux, ne connaît ni les frontières, ni la diversité des cultures. En ce sens spectateurs africain et occidental sont logés à la même enseigne, à la différence près — et elle n'est pas mince — que cette machine est issue culturellement et technologiquement de l'Occident. Par ailleurs, qui a assisté à une projection dans une salle populaire d'Afrique noire ne manque pas d'éprouver quelque surprise. Rétrospectivement, il s'aperçoit que le rapport à la salle et au dispositif tel que le décrivent Baudry, Metz, Barthes — et nous-même ! — s'inspire, en dépit de son caractère universel, d'une expérience typiquement occidentale. Pareil modèle aurait-il pu être pensé depuis le garage désaffecté, la salle à ciel ouvert ou l'espace aménagé à la hâte pour une séance d'un soir ?

En dépit de leur diversité d'interprétations, les témoignages de Pierre Haffner[4], Prosper Kompaoré[5], Dominique Avron[6] ou M'Pungu Mulenda[7] sont unanimes à souligner l'intense activité, plus ou moins désordonnée, qui règne dans les salles populaires durant la projection : « on mime les bagarres projetées, on siffle et on hurle au déshabillage de la Blanche, on s'étire, on se lève, on s'assoit, on bouffe des poulets, des beignets, des brochettes, on picole, on s'insulte, on danse »[8]. La perte de motricité qui favorise l'instauration du sujet « tout-percevant » reçoit ici un cinglant démenti. La salle populaire serait même le lieu d'un détournement radical du dispositif : « Puis suprême renversement, on braque les

---

4. *Essai sur les fondements du cinéma africain*, particulièrement « Le journal d'un hadjiste », NEA, Dakar/Abidjan, 1978.

5. « Le spectateur africain et le spectacle cinématographique », *Revue du VIIᵉ Fespaco*, pp. 17-19.

6. « Au ciné-Oubri à Ouagadougou », *Melba*, n° 3, 1977, pp. 9-10.

7. « Avec les spectateurs du Shaba », in *Caméra Nigra, op. cit.*, pp. 137-153.

8. D. Avron, art. cit., p. 9.

lampes de poche /.../ sur les meurtrières de la cabine de projection. On éclaire la coulisse oubliée du dispositif... » « ...certains sont même étendus sur la scène peu profonde et regardent le mur-écran de plusieurs dizaines de mètres carrés sur le dos à deux mètres de distance de lui /.../ on fait passer des chaises, des bancs ou même des échelles : autant d'objets qui vont se détacher en ombres chinoises pour tous les spectateurs placés derrière »[9]. Pour Dominique Avron, assurément, le spectateur africain, avec la complicité involontaire du projectionniste et des éléments climatiques en cas d'orage, invente spontanément l'art du détournement et bouscule allégrement les règles du régime « narratif-représentatif-industriel »[10] pour retrouver, sans le savoir, quelques processus de déstructuration propres aux films expérimentaux. Qu'une telle lecture du phénomène appartienne à l'aire culturelle occidentale — fût-elle contestatrice — ne fait pas de doute. Pour Prosper Kompaoré, l'interprétation est autre : « Au lieu d'être cette sorte de rituel d'auto-censure où les visages, les voix et les cœurs sont sévèrement bridés, le cinéma renoue avec l'exubérance et la pan-participation des fêtes, cérémonies et spectacles traditionnels »[11].

Quelles que soient les lectures et interprétations, l'accord se fait néanmoins pour constater l'intense activité physique qui règne dans la salle. Le spectateur africain ne paraît pas remplir les conditions que l'on pouvait croire nécessaires à la bonne réception filmique. Pourtant ce spectateur continue d'envahir les salles ; les films projetés continuent de raconter des histoires. Le régime « narratif-représentatif-industriel » s'accommode d'une déstructuration dont l'efficacité peut ainsi être mise en doute. Il y a mieux : chez ce même public l'identification non seulement n'est pas absente mais encore elle se manifeste avec force : « C'est là qu'un ado-

9. D. Avron, art. cit., pp. 9-10.

10. Ces trois adjectifs renvoient, bien entendu, au cinéma « NRI » dont Claudine Eyzickman (*La jouissance-cinéma*, UGE, 10/18, 1975) faisait le procès et qui s'inscrit en filigrane dans l'article de D. Avron.

11. Art. cit., p. 18.

lescent, fortement impressionné par Kung-Fu trempant ses mains dans le sable chauffé à blanc pour les rendre dures comme l'acier, a dû être transporté d'urgence à l'hôpital Yelgando le lendemain après avoir recommencé la même scène devant ses copains »[12].

A la lumière des considérations metziennes sur la métapsychologie du spectateur, il y a là un évident paradoxe : intensité de la perception, diminution de la motricité et identification ne sont plus liées. L'explication serait-elle à trouver dans la composition sociologique du public ? Selon M'Pungu Mulenda, la déstabilisation structurelle que produit l'exode rural commanderait de nouveaux comportements urbains : « tous les jeunes de quatorze à vingt-cinq ans qui composent la majorité du public passent leur temps à se « débrouiller » pour tenter de survivre. Ils vivent dans un contexte de groupe, de groupement d'ordre ethnique, linguistique, culturel... par affinité de tous genres /.../ ce qui facilite une construction ou une reconstruction d'un imaginaire social, d'un folklore, d'une certaine forme de représentation de la vie[13] ».

Le cinéma répondrait alors à une double attente : d'une part il proposerait à l'imaginaire un folklore de nouveaux héros mythiques, d'autre part, en tant que spectacle public, il fonctionnerait comme lieu de rencontre et de regroupements sociaux. Les processus d'identification ne seraient plus seulement d'ordre individuel, ils interviendraient à hauteur du groupe : « nous avons demandé aux jeunes garçons que nous abordions si dans la zone de Kikula il existait un ''Bruce Lee'' avec ses acolytes et ses ennemis. Il y en avait même plusieurs qui, dans leurs pratiques quotidiennes, imitaient, corrigeaient, inventaient et embellissaient, en la vivant, la vie de leur héros modèle[14] ». L'identification secondaire, procès essentiellement individuel, se redoublerait d'une intégration au groupe constitué à partir des mêmes modèles mythiques, et « l'aspect ludique de la partici-

12. D. Avron, art. cit., p. 9.

13. Art. cit., p. 139.

14. *Ibid.*, p. 148.

pation au spectacle [permet] probablement à la communauté de renouer avec un folklore qui [l'unit] [15] ».

À la supposer exacte, cette interprétation entraîne plusieurs conséquences, dont celle qui repose la question du sujet spectatoriel. C'est en tant qu'individu que le dispositif scénographique l'appréhende. Nous-même [16] avons insisté sur cet aspect en soulignant la solitude à laquelle il était contraint. Or le caractère collectif de la salle fait ici retour. La relation ne doit plus être pensée en terme de dualité (dispositif/individu), mais suivant un modèle à trois termes : le film (via le dispositif), l'individu, le public comme groupe. Le processus d'identification dans lequel entre le sujet individuel est alors manifesté au groupe qui sert tout à la fois d'allocutaire et de témoin approbateur. Dans le même temps et selon un mouvement réflexif, le groupe se constitue en tant que tel du fait même de sa fonction d'allocutaire.

Le parcours propre au dispositif : « sujet social/sujet spectaculaire/sujet spectatoriel » qui conduit à la constitution d'un sujet imaginaire (nécessaire à la fiction et caractérisé par le régime de croyance que résume la formule « je sais bien... mais quand même... ») devant être prolongé par un sujet social imaginaire. Plus précisément, à la faveur du jeu des identifications, le sujet spectatoriel se construit imaginairement un nouveau modèle de sujet social, qu'il soumet aussitôt au jugement du groupe qui, lui, se définit et se construit par le système de valeurs qu'il élabore dans le même temps. Il s'agit bien d'un sujet social et non d'une forme particulière de sujet spectatoriel, comme l'indique la survivance des comportements mimétiques dans la vie quotidienne, longtemps après la projection.

Le paradoxe, en fait, n'était qu'apparent : identification et motricité sont toujours contradictoires mais elles ne sont plus exclusives. Elles s'inscrivent dans deux « rôles » différents, le sujet spectatoriel, le sujet social, qui, durant la projection, alternent, se relancent mutuellement et s'organisent en boucle. Le second se construit

---

15. *Ibid.*, p. 149.

16. *Cf.* notre thèse, t. II, p. 679.

imaginairement à partir du premier et fait aussitôt l'épreuve de sa validité auprès du groupe. L'approbation de ce dernier justifie alors l'activité d'identification à laquelle peut retourner le sujet social en se transformant à nouveau en sujet spectatoriel qui élabore un modèle imaginaire de sujet social, qui fait l'épreuve de sa validité devant le groupe, pour retourner ensuite à l'activité d'identification, etc., cela dans un incessant mouvement pendulaire.

Ce retour si manifeste du sujet social montre que le dispositif scénographique, pensé à partir de l'expérience occidentale, avait peut-être réglé trop hâtivement cette question. Au reste un nouveau regard sur la salle africaine permettra d'en faire la preuve, comme *a contrario*.

Dans sa description du « Ciné Oubri », Dominique Avron (un plan des lieux à l'appui) mentionne l'existence de trois zones distinctes, correspondant à trois tarifications différentes, et savoureusement surnommées, par la population locale, « Indiana » ou « Harlem », « Cow-boy » ou « Chicago », « Shériff » ou « Afrique du Sud ». Le public auquel on a fait référence jusqu'ici se rencontre majoritairement dans la première zone, la moins chère et fréquentée par les plus démunis. C'est dire que l'on a confondu un peu vite la partie pour le tout. Car à « Cow-boy » ou « Chicago » se rencontre « un public relativement sage dans la mesure où tous ces gens se sont fait une petite place dans la ville et ne vivent pas une agression ou un rejet urbain permanents comme la plupart des territorialisés qui fréquentent Indiana »[17] ; ce public c'est aussi, selon les termes de Prosper Kompaoré, « Monsieur ou Madame tout le monde qui une fois par mois se décide à aller voir ''un bon film'' »[18]. Assurément ce spectateur-là se rapproche de son homologue occidental, jusqu'à lui ressembler étrangement dans la zone « Shériff » où l'on trouve, outre « la présence concentrée de Blancs », « un public gentiment provincial, fonctionnarisé et parfois pingouinisé. C'est un public fort parce qu'il a l'argent »[19].

17. Art. cit., p. 9.

18. Art. cit., p. 18.

19. D. Avron, art. cit., p. 10.

D'évidence, un constat découle de cette « topographie » : l'exubérance et l'activité motrice sont inversement proportionnelles à l'intégration sociale. Le public d'Indiana, socialement marginal et destructuré, trouverait, dans sa « participation » active au spectacle cinématographique (participation qu'une tradition culturelle de cérémonies collectives sous-tendrait), « une manière ostentatoire parfois même exhibitionniste de revendiquer et d'affirmer sa sociabilité en tant qu'individu et maillon d'une chaîne clanique »[20]. Le public de « Cow-boy » et de « Shériff », lui, n'a guère besoin d'administrer la preuve de sa sociabilité puisqu'il est déjà — ou en voie de l'être — intégré à l'ordre social.

De cette diversité des comportements, corrélée à une organisation de la salle fondée sur des critères économiques, découlent deux conséquences. D'une part, l'idée d'*un* spectateur africain ne résiste pas au constat des faits. Certes on peut toujours réduire cette diversité à une dualité, avec un public africain « authentique » opposé à un public en voie d'occidentalisation et qui n'est donc plus représentatif. C'est la position, semble-t-il, de Prosper Kompaoré : « En effet, sous le vernis culturel européen existe en chaque Africain, cette culture de base plus ou moins profondément enfouie, fût-ce au niveau inconscient, et qui explose à la surface à l'occasion des manifestations collectives ayant un impact émotionnel profond »[21]. Il y aurait ainsi un « bon » spectateur africain, « non refoulé », en prise directe sur sa culture de base, et un « mauvais » spectateur fondamentalement acculturé : « A tout bien considérer, la réaction de ce type de public [celui d'Indiana] semble encore plus naturelle et préférable, à celle figée, contrainte et guindée du public « cultivé » fréquentant les salles de luxe »[22]. On peut aussi construire un « imaginaire » du spectateur africain comme lieu d'une spécificité et d'une unité retrouvée. C'est la perspective adopté par Pierre Haffner[23].

---

20. P. Kompaoré, art. cit., p. 18.

21. *Ibid.*, p. 18.

22. *Ibid.*, p. 18.

23. Dans sa thèse (citée), notamment, p. 574 et s.

Dans les deux cas, cela revient à considérer comme non pertinents les clivages sociaux lisibles actuellement dans la salle, dans les salles, au profit d'un spectateur africain « unitaire » et, selon nous, quelque peu hypothétique. L'économie d'une telle question pourrait être faite si elle n'engageait une stratégie idéologique et culturelle du CNA : est-il préférable pour ce cinéma, compte tenu des difficultés de sa lutte, de postuler un public homogène et spécifique ou de prendre en considération la pluralité sociologique ? La réponse à cette question ne nous appartient pas ; tout au plus peut-on constater, à travers les déclarations et prises de positions des réalisateurs, qu'un consensus vise à instituer *un* spectateur *africain* que les films auraient pour tâche de rencontrer et au besoin de construire. La question, pour nous, sera de voir dans quelle mesure les discours filmiques répondent ou non à cet objectif.

La seconde conséquence, issue du constat de la diversité, est de relancer l'interrogation sur le dispositif scénographique. S'il a pour tâche de construire un sujet spectatoriel, c'est-à-dire une instance spécifique des conditions de réception filmique (qui relève donc, suivant la classique distinction de Metz, du fait filmique), il ne saurait faire l'économie du sujet social (qui relèverait, lui, plutôt du fait cinématographique).

En un sens le sujet spectatoriel travaille sur le sujet social, particulièrement, comme cela fut indiqué, par le relais du sujet spectaculaire. Celui-ci se caractérise par la vacance à l'égard du quotidien et la disponibilité à recevoir les stimuli : le sujet social initial (celui qui a acquitté son droit d'entrée) subit donc une transformation qui se prolonge jusque dans le sujet spectatoriel. Il aurait comme « disparu » au prix d'une mue. En réalité il fait retour, mais à un autre niveau, à la faveur de l'investissement imaginaire que le sujet spectatoriel favorise. La disparité des comportements, corrélative du degré d'intégration sociale, montre que, pendant la projection, le sujet social reste présent, non plus en tant que sujet apte à affronter l'épreuve de réalité, mais comme sujet d'un imaginaire mobilisant la totalité de son expérience pour répondre à l'investissement spectatoriel que suscite la participation filmique.

En ce sens on peut parler du spectateur africain dès lors qu'il se définirait à la fois par opposition au spectateur occidental et par rapport à sa propre dimension socio-culturelle. L'expérience qu'il mobilise pour pouvoir dialoguer avec le film n'est assurément pas la même que celle d'un habitant du Quartier latin, pas plus que ne saurait être la même celle du spectateur d'Indiana et celle de Shériff.

Articulée sur celle-ci, fait alors retour la question initiale : le dispositif scénographique, en tant qu'originaire de l'Occident, peut-il être, dans son fonctionnement, source d'acculturation ? En soumettant spectateurs africains et occidentaux au même modèle n'effacerait-il pas les traits spécifiquement africains ?

A l'évidence le dispositif opère une transformation paradoxale : il change la collectivité (les spectateurs rassemblés en une même salle) en une multiplication de sujets individuels juxtaposés. En cela il se démarque de la séance de conte, de la danse, du chant ou de la cérémonie rituelle pour lesquels la participation et l'échange inter-individuel constituent des données de base, si bien que « celui qui ne participe pas est alors un atypique, un marginal, un être malheureux »[24]. Au cinéma, en dépit de la présence des autres, le spectateur est d'abord renvoyé à lui-même en tant que sujet spectatoriel comme en tant que sujet social. Il est avec les autres tout en niant sa présence aux autres : il y aurait là assurément une forme de « communication » paradoxale et largement étrangère à la culture africaine, dès lors qu'elle accentue l'isolement et la passivité.

Cependant une réponse à ce classique argument de l'individualisme occidental peut être avancée, et c'est P. Kompaoré lui-même qui la donne : « la participation passive, qui est elle aussi *fréquente*, exige cependant une *adhésion pleine et entière* à l'acte rituel ou au spectacle, tant dans les signes et symboles adoptés que dans la pensée mythique sous-tendant ces actes »[25]. La participation passive a donc droit de cité dans la culture afri-

24. P. Kompaoré, art. cit., p. 18.

25. *Ibid.*

caine ; de plus elle crée les conditions d'un investissement spectatoriel fort proche de celui que propose le dispositif scénographique. Si le parcours que ce dernier
impose au spectateur africain est relativement neuf par
rapport à sa culture, ce qu'il vise à instituer et à favoriser ne lui est pas étranger : l'investissement imaginaire
et le jeu des identifications ont, ici comme en Occident,
droit de cité.

Au reste, c'est cette dimension que la majorité des
films du CNA va exploiter. Le cinéma-miroir ne fonde-
t-il pas son pouvoir de conviction sur l'intensification des
processus d'identification ? C'est donc à la fois au sujet
spectatoriel, comme vecteur de l'investissement imaginaire, et au sujet social, comme double possible des figures de l'écran, qu'il s'adresse.

Le jeu des identifications

Deux régimes d'identification propres à l'activité spectatorielle ont été distingués par Christian Metz, appelés
par référence à la psychanalyse : identification cinématographique primaire (produite par le dispositif scénographique : l'œil prend la place de la caméra), identification cinématographique secondaire : elle s'effectue sur
les personnages[26]. L'une relèverait donc du fait cinématographique, l'autre du fait filmique.

En ce sens la première échapperait aux clivages culturels : le déroulement de son processus engage le *spectateur ;* qu'il soit africain ou occidental importe peu.
Inversement la seconde mobilise, du fait même qu'elle
joue sur la représentation et la figuration, des investis-
sements spectatoriels directement articulés sur le contexte culturel.

Pour juste qu'elle soit dans son ensemble, pareille distinction demande cependant quelques correctifs. Ainsi
à propos de l'identification primaire. Si, dans son principe, assurément, elle relève du fait cinématographique

---

26. *Le signifiant imaginaire,* UGE 10/18, 1977, p. 79 en particulier.

et échappe aux données d'ordre culturel (l'œil à la place de la caméra), le réglage qui en découle et que chaque film particulier fait jouer de façon singulière réinscrit celle-ci dans le fait filmique. Articulée sur les problèmes de l'énonciation, cette question fera retour d'ici peu.

Quant à l'identification secondaire, si elle s'effectue majoritairement sur les personnages, elle peut s'étendre aux autres composantes de la diégèse (comme les lieux, par exemple). Les modalités de son réglage s'articulent, elles aussi, sur les problèmes de l'énonciation. Chaque film, en sa singularité, outre les figures qu'il propose à l'imaginaire, procède au réglage de la participation spectatorielle.

Celle-ci est alors le fait d'un sujet spectatoriel dont l'émergence est certes produite par le dispositif scénographique (perception intense, diminution de la motricité, etc.) mais qui ne saurait se réduire à cela. Il est aussi en prise directe sur le sujet social, plus précisément sur le sujet social imaginaire, comme on vient de le voir. L'identification cinématographique, primaire et surtout secondaire, ne peut se développer sans mobiliser l'espace culturel du sujet spectatoriel.

Dès lors, on comprend que le CNA, dans sa stratégie du cinéma-miroir, multiplie les figures diégétiques susceptibles de favoriser une activité de reconnaissance. Au monde culturel de référence étranger (occidental ou asiatique), il substitue un univers familier, entretenant d'étroites analogies avec l'expérience vécue d'un sujet social qui, bien que transformé par le dispositif scénographique, soumis au réglage de l'énonciation filmique, non seulement n'est jamais absent mais encore se ressaisit ailleurs, autrement, dans l'imaginaire que suscite l'identification culturelle.

En ce point précis, il importe de souligner, non sans une insistante lourdeur, le triple niveau des identifications mis en place ici. Aux deux premiers (identifications primaire et secondaire) judicieusement et longuement analysés par Christian Metz, nous ajoutons l'identification culturelle. Certes celle-ci relève des processus secondaires dès lors qu'on les « prend en bloc pour les opposer simplement à l'identification du spectateur à son

regard »[27], mais elle s'en distingue au niveau des procédures de réglage. Elle relèverait davantage du profilmique que du filmique : c'est la nature même des objets
donnés à voir et à entendre, plutôt que leur réglage, qui
favorise cette identification. Celle-ci serait donc à la fois
plus diffuse, plus générale et plus englobante que celles spécifiées par Christian Metz. Naturellement elle est
présente dans tous les films, indépendamment de leur
origine géo-culturelle, et offre un tel caractère d'évidence
que son importance a pu s'en trouver minorée, voire être
considérée comme non pertinente. Sa réévaluation, ici,
doit probablement beaucoup au corpus de travail. Le fait
qu'il nous soit culturellement étranger rend le monde
diégétique de référence du CNA plus opaque et donc
plus présent, plus insistant.

Bien que filmiquement réglée par ces deux opérateurs
essentiels que sont la place de la caméra et le personnage, l'identification culturelle les déborde pour jouer
sur l'ensemble des figures diégétiques dès lors qu'elles
s'articulent sur l'espace culturel du spectateur. Ainsi
s'explique le pouvoir du héros. Le jeune adolescent qui
plonge ses mains dans le sable brûlant pour les durcir
reproduit une conduite qui, paradoxalement, appartient
à un monde diégétique culturellement étranger (un film
« karaté » d'origine asiatique) et semble contredire notre
propos. Mais ce jeune adolescent, par son comportement,
réactive à sa manière le mythe du héros qui, lui, n'est
pas étranger à sa culture ; bien au contraire. Le conte
et l'épopée, composantes majeures de l'oralité, connaissent ces personnages-modèles. Au reste c'est en se fondant sur cette tradition que Sembène Ousmane souhaite
voir le CNA jouer sur les figures héroïques, au besoin
en recourant aux grands héros mythiques ou historiques
de l'Afrique : « nous devons recréer ces personnages afin
de pouvoir donner à nos peuples ces possibilités
d'identification »[28].

Pareil souhait dit en creux la relative absence de

27. *Ibid.*

28. Conférence à l'INA de Kinshasa. Document inédit aimablement communiqué par Pierre Haffner.

héros dans le cinéma africain actuel. Faut-il s'en étonner quand on sait, du moins dans la conception occidentale, que la valorisation de ce type de personnage abonde dans le sens de l'individualisme ? L'homme providentiel dont les qualités excèdent la moyenne de l'homme ordinaire ne serait-il pas contraire à l'esprit communautaire ? N'y aurait-il pas là un risque d'acculturation supplémentaire[29] ? La conscience des phénomènes d'acculturation est trop forte et trop claire chez Sembène Ousmane pour qu'on lui fasse l'injure de laisser supposer qu'il n'aurait pas aperçu ce danger. Le héros, comme figure de convergence des effets d'identification, demande, par rapport à l'espace culturel africain, à être articulé — là sans doute, réside la difficulté — non plus sur des traits purement individuels mais sur des composantes sociales.

Il est symptomatique que les personnages sont le plus souvent construits non à partir de données psychologiques mais à partir de leur rôle social. D'une manière générale, le CNA propose moins des « personnes » que des rôles : le père de famille, la concubine, l'épouse traditionnelle, le féticheur, le jeune délinquant, le paysan, le conteur, etc. Qu'un personnage n'agisse pas en conformité avec son rôle social et il est aussitôt sanctionné : c'est ce qu'il advient à Kodou, c'est ce qu'il advient à Borom Sarret et à de nombreux autres. Les agissements d'un personnage seront jugés moins en fonction de son caractère, de ses composantes personnelles ou des postulats narratifs qu'en fonction de leur conformité avec les prescriptions du rôle social qu'il incarne. Ainsi, en milieu étudiant, les agissements du boy dans *Bouboucravate* étaient rejetés comme invraisemblables : celui-ci s'adressait à ses patrons avec trop de désinvolture et de familiarité.

---

29. Un réalisateur au moins semble en faire la preuve. Dans ses productions (*Saint-Voyou* ou *Coup dur*, par exemple), Alphonse Béni accommode les (pires) recettes du cinéma occidental, d'une part, en conservant les modèles narratifs à succès, d'autre part, en permutant seulement les rôles : le héros à la peau noire est l'être toutpuissant dans l'univers occidental. Assurément l'authenticité africaine a quelque peine à se reconnaître dans ces films-là.

Le paradoxe du héros africain apparaît alors nettement : peut-il exister un rôle social (qui implique une certaine normalisation) du héros sans que s'évanouisse aussitôt le caractère extra-ordinaire de ce personnage ? Le recours à l'épopée, mythique ou historique, fournit la réponse (et c'est celle que préconise Sembène Ousmane) : dans sa mémoire collective, la société a constitué une galerie de personnages hors du commun, néanmoins inscrits, par les conséquences de leurs agissements, dans l'ordre social qu'ils ont contribué à élaborer ou à transformer. Dans ces conditions l'identification peut fonctionner comme facteur de recentrage culturel.

De la même manière s'explique le recours aux stéréotypes et l'importance de la monstration : il s'agit de donner à voir, à des fins d'identification, les objets du monde quotidien et les lois supposées vraies qui les unissent. Pareille démarche relève d'une volonté délibérée, comme le montre le consensus lisible à travers les multiples déclarations des réalisateurs africains. Mais peut-être les traits à la fois fondamentalement et spécifiquement culturels sont-ils à chercher ailleurs, dans le non-dit des interviews de cinéastes, dans le discours qui, par réitérations et variations, peu à peu se constitue d'un film à l'autre, et à travers lequel émergent des objets si évidemment liés à l'espace culturel commun du spectateur et de l'énonciateur qu'ils s'oublient, comme l'arbre et l'eau par exemple.

Certes l'un et l'autre accèdent de temps à autre à la causalité narrative en devenant les sujets, ponctuels ou durables, de la fable. C'est le cas, pour le premier, avec l'arbre des génies, souvent l'un des protagonistes du drame (*Finyé*, *l'Exilé*, *Comédie exotique*, *Fad'jal*, etc.) ; l'eau, elle, donne naissance par référence à l'oralité, à des personnages fabuleux (*Toula*, *la Bague du roi Koda*), devient la source directe des événements (*Rewo dande Mayo*). Mais c'est dans leur « présence-absence » narrative qu'ils dessinent avec le plus de netteté un horizon culturel spécifique. Absents de la logique actionnelle, ils entrent dans le texte filmique comme objets familiers de l'univers quotidien : à travers la variété et la réitération de leurs figurations ils disent en filigrane leur enracinement géo-culturel.

Sans entrer dans une étude systématique (qu'il serait cependant utile de développer ailleurs), une remarque s'impose : plus ces deux éléments naturels font défaut dans l'espace géographique de référence, plus leur présence filmique se fait sensible. Dans les films ayant pour cadre les régions sahéliennes, le puits, éventuellement le marigot, deviennent des lieux fondamentalement sociaux où se nouent — et se dénouent — les événements de la communauté. Kodou n'est-elle pas victime des quolibets autour du puits ? Une bataille mémorable ne se déroule-t-elle pas, dans *Touki-Bouki*, autour de la fontaine ? Quant à l'arbre, qu'il soit le centre de la palabre, le refuge des génies, le protecteur des morts, le lieu du repos ou le dispensateur de bienfaits divers, il parcourt les films africains avec une telle constance et à travers une telle diversité de figurations et de rôles qu'à lui seul il marquerait la spécificité d'un espace culturel.

Ainsi au-delà des objets convenus, des espaces et des lieux stéréotypés, de la thématique consciemment développée par les cinéastes, se donne à lire une autre scène (si évidente pour l'autochtone qu'elle s'oublie, si bien qu'il appartient au regard étranger de la percevoir) où se joue aussi l'identification culturelle. Si elle n'a guère de prise sur la logique actionnelle du récit, si elle n'en commande pas les fluctuations, si en ce sens elle est moins spectaculaire, elle promeut néanmoins des figures dont la familiarité s'ancre dans une expérience séculaire ; de là probablement provient la force de conviction de son discours, pourtant à peine murmuré[30].

De la même volonté d'identification culturelle participent la musique et la langue, dès lors qu'elles jouent sur leur fonction référentielle. Néanmoins, en raison de sa trop vaste amplitude, cette question ne sera abordée ici que sur deux points particuliers : celui de la musi-

---

30. Dans un contexte différent et à propos d'un seul film, nous avons tenté une approche plus systématique de cette forme de « discours » singulier qui se tisse peu à peu dans le texte (discours que l'on ne saurait ramener ni à celui de la dénotation, ni à celui de la connotation) : *Approche du récit filmique*, Albatros, 1980, pp. 180-189.

que extradiégétique, celui des choix linguistiques, et dans la mesure où ils disent l'importance de l'activité d'identification.

A la différence de ce qui a lieu pour la musique intradiégétique [31], les décisions quant à l'instrumentation, la forme discursive et les conditions d'exécution (moments d'intervention, durée, etc.) ne dépendent plus, avec la musique extradiégétique, des codes sociaux du monde de référence, mais elles relèvent d'abord du système filmique, tout en contribuant à son élaboration.

Bien qu'elle soit, par principe, libérée des contraintes référentielles, elle ne les abandonne pas pour autant, particulièrement lorsqu'elle tisse des analogies avec l'univers de référence de la diégèse. *L'Exilé* à nouveau en fournira un bon exemple.

Deux instruments, en particulier, seront source d'invention : le molo et la flûte peuhle [32]. Le premier est d'abord utilisé en situation intradiégétique : le griot de la Cour royale en fait usage lors des conseils. Ensuite il apparaît comme extradiégétique lorsqu'il accompagne les propos de l'ambassadeur. Celui-ci est alors désigné, dans le récit premier, comme l'équivalent du griot qui appartient, lui, au récit second. Sur les dernières images du film, fonctionnements intra et extradiégétique finissent par se superposer puisque le molo s'entend au moment où Sadou se sacrifie. Or, culturellement, cet air se joue en l'honneur de la mort des chefs. Mais cette séquence marque aussi la fin du film. Le molo chante alors une triple disparition : celle des chefs, celle du film, celle de la véritable parole.

La flûte peuhle intervient en situation extradiégétique lorsqu'elle accompagne la fuite de Sadou et de son épouse. Toutefois elle possède un ancrage partiellement « réaliste » puisque le couple quitte une région de séden-

---

31. Par extradiégétique, on désigne la musique d'accompagnement, celle qui surgit d'un lieu non précisé (cas le plus courant) ; la source d'émission de la musique intradiégétique appartient au contraire au monde de la fiction (musique d'un bal filmé ou venant d'un électrophone que met en marche un personnage, par exemple).

32. Nous devons ces informations à Mme Youssouf Ould Brahim. Nous l'en remercions vivement.

tarisation peuhle (ainsi que le costume des deux frères l'a antérieurement évoqué). Mais il semble surtout que sa fonction soit d'ordre connotatif : le surgissement de cette musique sur les images du fleuve, sur les horizons qui s'ouvrent pour le jeune couple, ne connote-t-il pas, par référence au nomadisme des peuhls, l'aventure et la conquête des grands espaces ?

A travers ces deux brefs exemples on voit comment, en puisant dans son riche terroir culturel, la musique extradiégétique entre dans l'activité sémantique du texte filmique tout en maintenant, mais déplacé, latéral, adjacent, un rapport avec ses propres fondements sociaux. La lecture de ces effets de sens filmiques suppose une connaissance de codes extracinématographiques directement en prise sur une aire culturelle particulière.

D'une problématique du même ordre relèvent les questions de la langue. En tant que code à la fois complexe et riche, elle est fortement prescriptive. Pour la communauté qui recourt au même code, celui-ci agit comme un formidable ferment de cohésion sociale. Parler la langue du groupe c'est affirmer son appartenance et son intégration. C'est là la force centripète du code. Mais dans le même temps celui qui ignore la langue est radicalement exclu. C'est la force centrifuge du code. Pouvoirs d'intégration et d'exclusion sont solidairement opposés. A la différence des autres codes non spécifiquement cinématographiques aucune « gradation » n'est possible. La pratique musicale propre à une ethnie, un clan ou une région, par exemple, n'est jamais totalement spécifique de ce groupe. Seuls quelques traits lui appartiennent en propre, les autres sont plus ou moins partagés par une plus large communauté. La langue est au contraire un trait distinctif fondamental, en même temps qu'elle est affirmation d'une identité.

En retour ce « paradoxe » s'articule — et fait alors difficulté — sur la double scène énonciative du film : les personnages, le spectateur. La langue des uns n'est pas nécessairement celle de l'autre et l'acte de communication filmique peut en subir de graves distorsions. Une contradiction même se fait jour, à un niveau plus général : authenticité et africanité, ces deux options idéologiques majeures du CNA, ne sont plus liées. S'il abonde dans le sens de l'authenticité, le choix d'une langue autochtone peut contrevenir à l'africanité, dès lors qu'il exclut de la communication le public africain qui ne partage pas le code linguistique. Inversement, le recours à la langue du colonisateur, s'il gagne en extension (le public concerné sera plus large), perd son authenticité, jusqu'à accentuer certains processus d'acculturation.

Néanmoins les termes de l'alternative se modifient si l'on pose la question de la langue par rapport au système filmique. Elle s'articule d'abord sur les deux fonctions majeures que sont la monstration et l'énonciation. Dans le premier cas elle doit être considérée comme un objet du monde référentiel sur lequel prend appui l'univers diégétique. De même que dans tel monde de référence on se vêt d'une certaine manière, on y fait usage d'une certaine langue, avec ses divers niveaux au besoin. Celle-ci répond aux mêmes règles de cohérence référentielle que les autres objets. Pour l'avoir oublié, *Ayouma* proposait de curieux effets de discordance : on y entend en milieu rural des paysans s'exprimer dans un français standardisé et par là incongru. Au contraire le respect de la cohérence réactive l'effet d'identification culturelle car la parole, ancrée socialement, participe alors de l'activité de monstration.

Mais dans le même temps, sur le versant sémantique, le verbal filmique énonce ; il transmet des informations. Celles-ci, particulièrement dans le récit de fiction, portent sur le monde diégétique qu'elles contribuent à structurer. Elles sont nécessaires à la « compréhension » du film.

Ce sont donc des informations d'ordre diégétique qu'il s'agit de communiquer au spectateur, dans une langue qu'il connaît. Or cette « traduction », pour des raisons économiques (coût de revient élevé) et culturelles (pour l'analphabète, par exemple, la langue écrite du sous-titrage est inconnue), fait difficulté dans le contexte du CNA. Des diverses solutions envisageables, l'une cependant semble à exclure : celle qui consiste, dans un film où s'affiche une volonté monstrative, à résoudre les problèmes d'ordre diégétique par une incohérence dans l'ordre référentiel. Ces deux niveaux du système filmique ne sauraient être impunément confondus.

Il reste une troisième fonction du verbal sur laquelle rien n'a encore été dit, et que Jakobson appellerait la « fonction poétique ». Elle consiste à développer les potentialités expressives de la langue par rapport à son propre système, lui-même articulé sur le système filmique. La réhabilitation d'un idiome ne s'inscrirait plus seulement dans l'acte de monstration, et qui consiste à faire entendre une langue donnée — pratique la plus courante —, mais s'ouvrirait sur l'exploration du pouvoir inventif et expressif du verbal. Quelques tentatives se développent ici et là, particulièrement dans le recours aux sentences et proverbes qui scandent une phrase, condensent une pensée, s'ancrent dans l'histoire d'une communauté ; cependant ce vaste domaine de l'expressivité filmique reste fort peu exploité dans la production actuelle. Pourtant authenticité africaine et identification culturelle trouveraient là un terrain éminemment favorable à leur développement et à leur affirmation.

Si le réglage strictement cinématographique du régime d'identification passe par la caméra et le regard des personnages, cela ne saurait exclure cet autre investissement, lié au profilmique, à la fois plus diffus et plus englobant, qu'est l'identification culturelle. Elle vise le sujet social imaginaire qui reste présent durant la projection en connectant le monde diégétique sur son propre espace culturel. L'acte de monstration y devient prépondérant. On comprend alors que le CNA, dans sa stratégie du cinéma-miroir, exploite systématiquement ce type d'investissement dès lors qu'il favorise l'acte de connaissance et cristallise, sur des figures éminemment familières, la quête d'identité.

Modalités énonciatives

Cependant la traversée du miroir ne saurait être naïve. Objets et événements du monde familier ne sont accessibles qu'en raison du réglage filmique. En même temps qu'il montre, le film *me* montre. L'implication du spectateur suppose que celui-ci prenne place au sein d'un espace singulier, celui du dispositif de l'énonciation, où énonciateur et énonciataire sont solidaires. En fait, si l'on veut rendre compte du phénomène d'implication dans son ensemble, la référence à ce seul dispositif ne suffit pas car il vise essentiellement le sujet spectatoriel. Le sujet imaginaire, si fortement présent durant la projection, doit trouver sa place lui aussi. Il le fait au sein d'un second système : celui du fonctionnement diégétique avec ses postulats narratifs et les valeurs de vérité qui en découlent.

LE DOUBLE SAVOIR

L'entrée en fiction — et dans cette perspective, tout film est un film de fiction — suppose la connexion de deux savoirs : celui du spectateur, celui sur lequel repose, implicitement ou explicitement, l'univers diégétique (première opération du modèle du fonctionnement diégétique). A l'espace culturel sur lequel s'ancre (ou que construit) le monde de la fable répond l'espace culturel du spectateur. Ils peuvent être étrangers ou coïncider et entrer en résonance. Acculturation ou identité en serait la résultante. Logiquement ie CNA va alors jouer sur la similitude : il postule un public africain qui se définirait par un savoir culturel spécifique (toutefois la réalité de cette spécificité, sa définition en extension et en compréhension, ne manquent peut-être pas d'être problématiques : est-elle fantasmée ou réelle ?). Il localise son spectateur, lui assigne une place ; et cela à travers l'implicite de son énoncé.

Or, comme il advient souvent, c'est dans les « dérapages », dans les affleurements accidentels, que l'implicite se manifeste, comme *a contrario*. Cela apparaît ouvertement dans la littérature. *L'Étrange Destin de Wangrin* [33], par exemple, comporte 248 notes rédigées par l'auteur et regroupées en fin d'ouvrage. Peu habituelle pour un roman, cette pratique désigne en creux l'énonciataire du récit. Le narrateur, inscrit dans l'espace culturel africain, s'adresse à un lecteur appartenant à un espace culturel différent, occidental selon toute vraisemblance. Supposant que le savoir préalable de celui-ci n'est

---

33. Amadou Hampaté Bâ, UGE 10/18.

pas suffisant pour « comprendre » certaines données du texte, il ajoute des commentaires. La note 246 par exemple précise que « en Afrique, les concitoyens d'une ville ou d'une région se considèrent comme frères » ; la note 231, par son libellé, s'adresse à un énonciataire peu familier de la religion islamique : « une "zaouïa" est le lieu de rencontre et de prière des membres des congrégations religieuses islamiques ». La somme des commentaires renvoyés en note constitue un savoir destiné à celui qui ne partage pas l'espace culturel de l'énonciateur. On remarquera, sans être surpris, que ce métadiscours se rapporte essentiellement à des codes non spécifiquement littéraires. S'indique ainsi, dans les marges du texte, le public visé.

Des pratiques similaires se dessinent dans le CNA. L'usage du français pour les voix off intérieures de Borom Sarret et Diouana dit en filigrane la situation de dépendance économique de ces premiers films à l'égard de l'ancien colonisateur : leur carrière commerciale passait par la France. D'un processus semblable relève la voix off de *Fad'jal*, déjà mentionnée, lorsqu'elle énonce : « l'arbre du nouveau-né ; la sortie du nouveau-né,... ». L'énonciateur explicite, en l'absence supposée du savoir culturel précis auquel fait référence l'image, le code social qui sous-tend la séquence. Au reste le spectateur visé ici n'est pas nécessairement occidental ; il peut être africain, la particularité du code de référence est telle qu'elle ne déborde peut-être guère l'espace sérère. Sous forme de trace s'indique alors le double espace : celui de l'énonciateur, celui du destinataire supposé différent. L'interpellation s'effectue comme en creux.

La pratique habituelle reste cependant celle de l'implicite : tout code extracinématographique qui n'est pas explicité par le film est soit supposé connu du destinataire (et il définit ainsi une sphère culturelle de réception), soit donné à apprendre par le fonctionnement diégétique. En ce sens mon savoir extracinématographique de spectateur peut être inférieur à celui que véhicule le film ; ce dernier a alors une fonction didactique localisée. On pourrait même, dans la perspective d'une sémiotique de la réception, imaginer que puisse être reconstituée la figure de l'énonciataire par l'examen de l'explicite et de l'implicite discursifs à propos des codes culturels de référence.

La CNA construit de cette façon un « public » africain. Dans *Kodou*, par exemple, le déroulement du rituel de guérison, jamais explicité, suppose connue la symbolique mise en jeu. Pour le regard étranger, objets, gestes, ordre des opérations restent énigmatiques, ou du moins n'ont pas d'épaisseur sémantique. Tout film instaure alors, sur la base des codes socio-culturels et extra-cinématographiques, une sorte de communauté culturelle. L'implication spectatorielle s'enracine dans l'imaginaire social. La monstration est à la fois interpellation — mais en creux — et élection.

Peut-être faut-il voir là l'origine d'un déni souvent notifié à l'encontre de la critique occidentale : elle ne serait pas en mesure d'évaluer un cinéma qui lui est étranger ; son ignorance des références culturelles lui ferait manquer une large part du discours filmique. Pour fondée qu'elle soit, cette objection présuppose (mais la question ne saurait être développée ici) une hypertrophie du « représenté », du référentiel, et corrélativement une sorte de degré zéro de l'écriture filmique. Elle tend à minimiser le film en tant que système filmique spécifique. Elle oublie aussi que la « transparence » résulte non seulement d'un « être-là » des objets et événements, mais encore d'un réglage particulier des opérations scripturales et d'une modalité discursive non moins particulière.

UN DISCOURS ASSERTIF

Précisément l'effet de « communauté culturelle » déjà obtenu par le jeu des codes extracinématographiques sera réassuré par le caractère fondamentalement assertif du discours majoritaire au sein du CNA. La relation entre l'énonciateur et l'énonciataire se place sous le signe du « c'est ainsi », et l'affirmation l'emporte sur l'interrogation. Une forme d'intimation préside à la projection, qui pourrait se formuler ainsi : « Je te montre pour que tu te reconnaisses. » La monstration devient un acte à la fois illocutionnaire et idéologique.

En ce sens elle doit être comprise non seulement

163

comme le donné à voir propre à chaque plan (opposé à la focalisation, selon notre terminologie) [34] mais aussi comme une posture discursive. Prenant appui sur celui-là, elle organise une modalité d'interpellation mettant en jeu de multiples opérations énonciatives.

Ainsi en est-il du souci de clarté diégétique, manifesté à deux niveaux principalement : celui du déroulement narratif, celui de la spécification modale.

Pour le premier l'importance accordée (comme on l'a vu) à la matrice singulative et à la linéarité chronologique valorise la simplicité structurale. Le traitement de l'information par le spectateur s'en trouve facilité, tandis que se développe une tendance à la monosémie. Corrélativement le fonctionnement diégétique veille au maintien du principe de continuité. Tout d'abord le savoir préalable du spectateur, généralement redoublé par les données explicites ou implicites du texte (exception faite de quelques rares films comme *Touki-Bouki*, *Fad'jal* ou *Nelisita* par exemple) définit un monde de référence accusant de fortes similitudes avec le monde du vécu quotidien. Les propositions narratives ensuite fondent leur vérité sur leur cohérence à l'égard de ce même monde de référence. Une sorte de tautologie généralisée renforce leur caractère assertif. L'ambivalence et l'ambiguïté sont ainsi tenues à distance.

La spécification modale participe du même souci de clarté. Séquences données comme imaginées ou comme réelles, comme présentes ou comme passées, sont le plus souvent nettement démarquées à l'aide de procédures conventionnelles. Dans *N'Gambo*, par exemple, l'histoire de cette jeune fille hospitalisée à la suite d'un avortement sera évoquée à l'aide de nombreux « flash-back », chacun racontant un épisode de la relation amoureuse de l'héroïne. Le passage du lit d'hôpital (le présent) aux divers moments antérieurs s'effectue suivant la procédure stéréotypée du lent zoom avant sur le visage, suivi d'un fondu au flou. Dans *Ceddo*, le rêve du prêtre catholique d'un vaste mouvement de conversion est donné

---

34. Dans « Le su et le vu » (*Hors-cadre*, n° 2) et « Le pouvoir ludique de la focalisation », *Protée*, vol. 16, n° 1-2, Université du Québec à Chicoutimi.

comme tel à la fois par le cadrage (plan rapproché, légère contre-plongée sur l'homme debout à l'entrée de son église) et un effet sonore de fondu-enchaîné.

De façon plus générale, la démarcation entre les différents niveaux de réalité et de temporalité, voire entre les différents niveaux de récit (comme avec *l'Exilé* par exemple) sont clairement soulignés dans la majorité des films. Lorsque plusieurs mondes de référence coexistent au sein d'un même texte filmique, le passage de l'un à l'autre s'effectue sans ambiguïté, de manière à préserver la lisibilité du texte. Quelques rares productions cependant désignent d'autres voies possibles, hors de cette « doxa » propre au CNA. La dissolution de l'opposition « passé/présent » dans *Fad'jal* en est un bon exemple : on a vu comment cela produisait une incertitude fondamentale quant au régime de lecture à adopter ; elle joue sur les frontières de l'indécidable et fait entendre une voix qui, ayant renoncé à l'assertion, n'en demeure pas moins, sinon, davantage, présente et convaincante. *Touki-Bouki*, lui, joue sur l'ambivalence du rêve et de la réalité : par la reprise de plans similaires (la course d'Anta le long de la falaise) cependant décalés, par l'usage d'un montage en champ/contre-champ créant une « réalité » filmique singulière (le rêve de gloire des deux héros et le défilé militaire), par la brusque intervention dans le monde diégétique « réel » de composantes peu vraisemblables (tel est le cas du « sauvage » qui surgit de manière abrupte et s'impose sans aucune tentative de justification diégétique).

Cependant ces productions, bien que fort importantes à un autre niveau (celui où se dessinent des voies futures), restent encore minoritaires. La clarté diégétique apparaît comme l'une des valeurs dominantes du CNA. Cela se conçoit dès lors qu'elle permet de conduire le spectateur à travers le dédale du texte en prenant soin de baliser l'itinéraire qu'il est appelé et incité à accomplir.

Sous l'innocence apparente d'un simple « donné à voir » se dessine en fait un réglage du sujet spectatoriel destiné à le placer en position de surplomb. L'analyse de la scène, en tant que syntagme particulier, en a dégagé le principe premier : le montage interne construit, à partir de la multiplication éventuelle des points de vue, une sorte de noyau focal désignant en creux la place du spectateur. Centré, foyer de convergence, il répond aux conditions optimales de réception des informations. Sa tâche essentielle consiste alors à les traiter sur la base de son savoir culturel.

En fait, non seulement la scène mais encore les autres types syntagmatiques travaillent sur ce principe. Dans cette perspective, et comme une preuve *a contrario*, on remarque que le CNA recourt rarement aux syntagmes faiblement monstratifs que sont les syntagmes parallèles et en accolade. De plus, l'unité narrative privilégiée paraît bien être celle du syntagme : les informations distribuées tout au long du film sont « prédécoupées » sur la base de cette unité. La démarcation interséquentielle, si nettement repérable, en serait du reste le meilleur indice. Une preuve *a contrario* en serait fournie une fois de plus par *Touki-Bouki* : un découpage segmental s'y révèle fort délicat.

Une sorte de focalisation zéro généralisée accompagne alors ce réglage, qui établit entre l'énonciateur et l'énonciataire un contrat de tacite égalité : nulle information qui soit différée, soustraite ou incomplète. Le spectateur, à chaque syntagme, en sait autant que le narrateur sur la diégèse en cours. Dans ces conditions la vérité de ce qui est montré ne souffre guère de doute. L'effet de transparence vient renforcer le caractère assertif du discours.

Au reste, un ultime contrôle parfois veille à endiguer les « errements » spectatoriels. Il s'agit de ce que l'on appellera les opérations de conduction. Elles se caractérisent par leur amplitude, distincte du syntagme et pouvant s'étendre à l'ensemble du film.

Ainsi en est-il de la voix off commentatrice, par exemple, dès lors que l'objet de son énoncé n'est pas le monde de référence (comme il advient le plus souvent dans le documentaire) mais l'organisation du monde diégétique. Dans *la Bague du roi Koda*, la voix off anonyme, outre sa fonction de rappel de la tradition orale, accompagne le déroulement textuel tout en fournissant des précisions d'ordre diégétique : sur les personnages, sur les événements, sur la chronologie. Les informations qui, au niveau de la seule monstration, n'auraient pas été appréhendées par le spectateur lui sont adressées directement au moyen du verbal, et au prix d'une certaine redondance. Certes il arrive, comme dans *Contrast-City*, que la voix quitte sa position d'omniscience pour entrer dans les aléas du jeu avec l'image. Sur ce rare exemple s'entrevoit une autre manière pour la voix de prendre corps et de se faire entendre. Le plus souvent néanmoins, enjambant l'univers diégétique, la voix off, par ses interventions régulières et constantes, guide le spectateur dans sa lecture.

C'est une fonction similaire que remplit la voix de *Lettre paysanne*, tout en jouant sur l'ambivalence d'un monde de référence susceptible d'accéder à la dimension diégétique. Au plan de l'énonciation, il importe d'insister sur une caractéristique essentielle de cette voix « conductrice » : le plus souvent anonyme (ce qui n'est cependant pas le cas dans *Lettre paysanne*, ce qui autorise précisément le jeu sur l'ambivalence), elle est nécessairement extradiégétique. Son pouvoir d'intervention sur le sujet spectatoriel s'en trouve singulièrement affermi. En effet, partageant cette situation avec le spectateur, elle échappe aux lois qui régissent le monde diégétique ; en même temps elle affirme un savoir sur ce même monde plus important que celui du spectateur. Par sa suprématie elle marque son autorité. Il en va différemment avec la voix intradiégétique (comme dans *la Noire de...*, par exemple) puisque, quelle que soit l'importance du savoir qu'elle transmet, elle le fait à partir du monde diégétique ; c'est dire, d'une part, qu'elle ne s'adresse qu'indirectement au spectateur, d'autre part, que ce qu'elle dit est soumis à la même épreuve de vérité que les autres objets de la diégèse.

Le musical répond à des caractéristiques similaires. L'importance de la distinction entre les musiques intra et extradiégétiques, déjà soulignée, trouve à nouveau confirmation ici : leurs modalités d'adresse au spectateur sont différentes. Cependant, en raison de sa faible épaisseur sémantique, la musique, même extradiégétique, ne possède pas le même pouvoir d'intimation que le verbal. Le guidage qu'elle opère s'effectuerait plutôt sur le mode de la persuasion. Articulée, comme on l'a vu, sur

167

les codes sociaux et donc plus riche sémantiquement, la musique intradiégétique serait en ce sens davantage porteuse d'informations : est-ce une autre raison de son grand usage par le CNA ?

Néanmoins, sous le contrôle du « partiteur »[35], elle enjambe parfois l'univers diégétique pour viser directement le spectateur et lui proposer, semblable en cela au verbal, une forme singulière de commentaire. Celui-ci en effet, parce qu'il ajoute à l'atmosphère d'une séquence, à son rythme, à son caractère dramatique, etc., est essentiellement d'ordre connotatif, à la différence du verbal axé, lui, plutôt sur le dénotatif. Il tend donc à orienter le spectateur vers un certain mode de réception. Mais le commentaire peut aussi porter sur l'énonciation filmique et faciliter ainsi le traitement de l'information, particulièrement lorsque la musique extradiégétique remplit sa fonction suprasegmentale. Ainsi les séquences de liaison dans *Comédie exotique* sont soulignées comme telles grâce à un phrasé musical singulier. Il accentue alors la distinction entre les moments narratifs à valeur de « catalyse »[36] et ceux où la fonction « cardinale » prédomine.

Un usage singulier, encore rare, doit cependant être évoqué, où le musical déborde sa simple fonction commentatrice. Il s'agit des chansons de Joséphine Baker et Mado Robin entendues dans *Touki-Bouki*. Par le contenu sémantique de leurs paroles (mais aussi par le rythme et l'instrumentation), elles jouent à deux niveaux. Extradiégétiques quant à leur situation d'énonciation, elles font entendre comme une sorte de voix ironique qui désignerait le rêve illusoire des deux héros tombés sous le charme des sirènes. En même temps elles participent du monde diégétique dès lors qu'elles « matérialisent » cet ailleurs auquel aspirent Mory et Anta.

Cependant, en règle générale, qu'il intervienne au plan de la connotation ou en position suprasegmentale,

---

35. Nous désignons ainsi cette instance qui prend en charge le discours musical au sein du film (*cf.* « Le pouvoir ludique de la focalisation », art. cit.).

36. Selon les termes de Roland Barthes, « Introduction à l'analyse structurale des récits », art. cit.

le « commentaire » musical, sans pour autant accéder au pouvoir d'intimation propre au verbal, guide lui aussi le spectateur tout au long de son itinéraire et veille à ce qu'il ne s'égare pas hors des sentiers recommandés par l'énonciateur. Paradoxalement la forme assertive du discours dominant au sein du CNA, en prenant appui sur le savoir préalable du spectateur, vise, quoi qu'il en dise, moins à informer qu'à favoriser un vaste effet de retrouvailles à la faveur duquel s'estompe l'acte énonciatif qui l'autorise.

Assurément le film ne s'ouvre pas directement sur l'être-là des événements ; il ne peut donner à voir sans interpeller dans le même temps celui à qui il donne à voir. En ce sens, le CNA rencontre moins son public qu'il ne le construit, et la volonté monstrative qu'il affiche implique corollairement un réglage de la participation spectatorielle.

Celui-ci se fonde d'abord sur l'implication du sujet social imaginaire, toujours présent lors de la projection : il instaure, sur la base du savoir préalable du spectateur, une communauté culturelle qui favorise l'échange entre l'énonciateur et son destinataire, qui favorise aussi les opérations de reconnaissance et de lecture. Dès lors l'acte d'énonciation filmique tend à s'effacer, plus précisément à se faire oublier au profit du représenté. Le souci de clarté diégétique, le caractère assertif du discours, sont là qui veillent à la bonne réception d'un monde diégétique dont la force de vérité repose sur l'air de familiarité des objets et des lois qui l'habitent. Le miroir renvoie bien au spectateur son image, mais ce n'est qu'une image. Une image cependant produite, c'est-à-dire résultant d'un travail dont la réalité ne saurait trop vite être effacée.

Au moment où s'achève ce chapitre, une question, probablement déjà formulée par le lecteur, ne saurait plus longtemps être esquivée : en quoi le réglage de la participation spectatorielle tel qu'il vient d'être analysé appartient-il en propre au CNA ? A propos de la voix off ou de la musique extradiégétique, par exemple, ce qui fut mentionné aurait pu l'être aussi bien pour de nombreuses productions occidentales. L'effacement de l'acte d'énonciation filmique lui-même n'est-il pas une constante du cinéma narratif de consommation courante ? L'articulation du récit sur l'espace culturel du spectateur n'est-elle pas une procédure susceptible de la plus grande généralité ?

En réalité l'analyse a tenté de mettre en évidence quelques-uns des principes qui paraissent majoritaires au sein du CNA (au demeurant cette « majorité » demanderait à être établie avec plus de rigueur). Ils sont caractéristiques d'un fonctionnement filmique privilégiant l'acte de monstration, cela indépendamment de son aire culturelle d'appartenance. En un sens c'est peut-être moins du CNA que du cinéma narratif-monstratif que parlaient les pages précédentes. Néanmoins elles parlaient aussi du CNA, dès lors que les formes discursives qu'il adopte majoritairement sont celles-ci. Sa spécificité tiendrait alors moins aux formes qu'il propose qu'à la réitération d'un mode discursif fondé sur le privilège de la monstration.

L'ESPACE RETROUVÉ ?

Des deux grandes fonctions dévolues au cinéma de fiction : montrer, raconter, le CNA sans conteste privilégie la première. Certes il met en scène des événements, articule actions et personnages, mais il le fait au profit d'une exploration de l'espace référentiel, comme si l'entreprise première, urgente, consistait en un geste de réappropriation symbolique. Inversant la démarche habituelle du cinéma narratif classique, il raconte pour montrer, pour donner à voir au public ce que les autres cinémas ne lui montrent pas, c'est-à-dire des images de lui-même. Si d'évidentes raisons historiques et économiques appellent et justifient une telle posture, il importe moins, dans une perspective sémio-narratologique, d'établir les conditions objectives de l'existence d'un tel cinéma, que d'examiner les formes discursives qu'il promeut. Ce sont elles qui disent, peut-être plus sûrement encore, la réalité historique et idéologique de ce cinéma.

Sa caractéristique première, liée à l'option monstrative, réside dans l'importance accordée à l'Afrique en tant qu'espace de référence géographique, économique, social et politique. La remarque pourtant pourrait sembler banale si l'on n'avait vu que, en raison du traumatisme colonial et de ses séquelles, un tel choix n'avait pas force d'évidence et qu'il n'a pu s'imposer que progressivement. Monde rural ou urbain, paysages sahéliens ou forestiers, zones publiques ou privées, lieux de travail, de réjouissances ou de culte, composent alors non le décor « véridique » sur le fond duquel s'enlève l'action mais autant de territoires divers dans la conquête desquels l'homme africain affirme la recherche de son identité. Le monde diégétique entretient d'étroites analogies avec l'expérience vécue du quotidien, un effet général de transparence en découle.

Cependant cet effet ne saurait s'expliquer par la seule vertu du monde représenté. L'analyse a montré qu'un autre espace, plus vaste, plus englobant, était présent : l'espace culturel qui sert de référent commun à l'énonciateur comme à son destinataire. C'est à partir de lui que s'élaborent à la fois la stratégie énonciative et la participation spectatorielle. Pour la majorité des films africains il s'agit alors de fonder son discours, afin de susciter l'adhésion du spectateur, sur le principe général de la reconnaissance. N'est-ce pas ce qu'indique le constant recours aux stéréotypes ? D'une part, ces derniers donnent moins à voir le monde tel qu'il est que tel qu'il est pensé, imaginé, espéré ou désiré ; d'autre part, parce qu'ils s'articulent sur des schèmes largement répandus, ils favorisent la rencontre imaginaire du film et de son public. Au double sens du terme, ce sont de véritables lieux communs.

De la reconnaissance encore, participe l'importance des codes extracinématographiques. Ce que donnent à lire les films c'est alors moins le réel référentiel que l'ordre social qui façonne ce réel. En ce sens les codes extracinématographiques fondent une communauté culturelle puisqu'ils sollicitent le savoir préalable du spectateur, font appel à son expérience vécue, pour qu'il accède pleinement au monde diégétique proposé. Qu'il s'agisse de la musique, des rituels les plus divers, des usages communautaires et des comportements individuels, de la langue et de la gestuelle, des traditions ou des nouvelles éthiques, le CNA multiplie les références à l'ordre social. Dès lors, il apparaît qu'au-delà des fables singulières qu'il invente, des particularités événementielles qu'il met en scène, il raconte une histoire fondamentale, originelle, celle de l'homme dans son rapport à l'espace ; comme si après la dépossession de la période coloniale, il s'agissait à nouveau d'en faire l'apprentissage.

Telles qu'elles furent analysées, les matrices topographiques en sont peut-être le meilleur indice. Les trois figures nucléaires qu'elles composent disent les postures fondamentales du personnage dans son rapport à l'espace. En outre, par addition, multiplication, réitération, elles s'ouvrent sur une combinatoire qui permet de répondre à la diversité nécessaire des récits particuliers. Elles sont le lieu où se résout la double contrainte du général et du particulier. Elles sont aussi, dans cette perspective, représentatives de la fonction spéculaire du CNA.

Cependant le trait le plus caractéristique, sinon le plus original, de ce cinéma s'inscrit dans l'usage qu'il fait de la parole. A la fois composante de l'expression filmique (en tant que verbal) et fondement ontologique de l'oralité, elle est au point de jonction de l'énonciation et du référent. A la mise en scène réglée par les codes sociaux répond celle du film lui-même. L'acte statique et sacré qu'est le déploiement de la parole, ainsi que le respect qu'il suscite, trouvent dans la scène, en tant que syntagme, leur parfaite expression. Or celle-ci, par l'effet de centrage qu'elle opère sur le spectateur, se donne comme la réponse filmique la mieux adaptée aux nécessités de la monstration. En la parole et son filmage se lit la forme narrative la plus caractéristique de l'originalité culturelle du CNA.

Précisément cette dernière implique un réglage singulier du regard spectatoriel : l'acte de monstration n'atteint à l'efficacité que s'il procède, au plan de l'énonciation, à un double réglage simultané, celui du sujet social imaginaire, celui du sujet spectatoriel. Au-delà des procédures d'écriture visant à la transparence, et qui passent le plus souvent par des codes filmiques largement convenus, le mode énonciatif dominant du CNA use volontiers de la forme assertive, parfois jusqu'à l'intimation, dans le même temps qu'il s'efface comme geste énonciatif en se retirant derrière l'être-là des objets montrés. Le spectateur est comme sommé de regarder et d'écouter ; assignation lui est faite de se voir dans le miroir qu'on lui tend.

Ne s'indique ici qu'une tendance majoritaire (non sans un certain schématisme), car quelques films sont là, qui ouvrent d'autres perspectives, qui échappent de façon ponctuelle ou plus systématique à l'empirisme du « réalisme » et qui tiennent à distance le risque de mono-lithisme. *Fad'jal, Touki-Bouki, Contrast-City ou Yeleen*, en particulier, ne tracent-ils pas une voie différente ? En déplaçant les codes narratifs dominants, en produisant un véritable travail d'écriture, en jouant sur le pouvoir de l'ambivalence, non seulement ils se démarquent du désir didactique des lectures monosémiques, mais encore ils font entendre une voix singulière et authentique. En se libérant ainsi de l'emprise des modes narratifs large-ment inspirés de l'Occident, ne s'ouvrent-ils pas sur un imaginaire ancré dans la réalité culturelle africaine ? Le futur ne serait-il pas du côté de ces films-là ? Néanmoins, dans l'état présent, c'est encore la volonté de monstra-tion et le double rapport, au référent et au spectateur, qu'elle implique qui caractérisent l'histoire de ce cinéma.

Une question ne manque alors pas de se poser : le choix d'une telle posture narrative et des formes qu'elle privilégie est-il spécifique de la société qui les produit ? Assurément l'éventuelle réponse n'est pas du ressort de la sémio-narratologie ; d'autres approches devraient ici prendre le relais. Cependant quelques brèves hypothè-ses viennent immédiatement à l'esprit.

Les conditions économiques particulièrement précai-res et incertaines, le contexte socio-politique souvent peu favorable, la mainmise étrangère sur la distribution, l'absence d'infrastructures technologiques, la faible den-sité du réseau des salles, les problèmes aigus des déve-loppements nationaux qui imposent d'autres priorités, sont les obstacles à la croissance du cinéma africain ; ils font perdurer l'ère du « mégotage » dont parlait Sem-bène Ousmane. Conjointement l'indépendance récente de la quasi-totalité des pays, les mutations socio-économiques qui résultent du colonialisme et du néo-colonialisme, ont fait émerger sur le continent des enti-tés nationales nouvelles dont la réappropriation politi-que, sociale, économique et culturelle était à entreprendre.

Dans ces conditions l'acte de monstration participe prioritairement de la quête d'identité. Le cinéma est le lieu de rencontre des interrogations en même temps qu'il propose des figures familières. Une sorte de postulat implicite traverse alors la quasi-totalité des films : se reconnaître c'est déjà se connaître et s'appartenir. On ne demande pas à un postulat de faire la preuve de sa validité, pourtant rien n'empêche de penser que d'autres « axiomes » pourraient prétendre à une égale pérennité. La question centrale est donc celle du choix du postulat monstratif. Pourquoi celui-ci ?

Par souci de légitimité. La précarité économique et les menaces qui pèsent sur le CNA lui imposent la nécessité de trouver une légitimation. Les voies habituelles, celles qui se rencontrent en Occident notamment, sont fermées. Aucune légitimation commerciale à espérer dans l'immédiat : la concurrence et les conditions de production-distribution excluent toute assise durable. Le cinéma de distraction et de consommation courante appartient aux consortiums internationaux. En raison des priorités du développement, la légitimation sociale ne paraît guère plus ouverte : l'ingénieur et le cadre supérieur auraient un rôle plus important à jouer dans la société actuelle. La légitimité culturelle, terrain pourtant favorable, rencontre elle aussi bien des résistances : d'origine occidentale, le cinéma est encore suspect d'acculturation ; il ne relève pas de la culture continentale. Quant à la légitimité politique, fluctuante et incertaine, elle varie au gré des régimes en place. Si l'on en croit les réticences des gouvernements à s'acquitter de leur contribution aux organisations panafricaines de cinéma, elle est loin d'être acquise.

Reste la légitimité idéologique ; bien que soumise aux fluctuations du politique, elle est la seule à pouvoir valider à la fois les réalisateurs comme acteurs sociaux et le discours filmique comme vecteur de libération. En ce sens l'essai de Pierre Haffner[1] montre bien les implications d'une telle option, tant au plan politique qu'économique ou imaginaire. La légitimité du CNA repose sur le discours idéologique.

Dès lors, à l'égard du cinéma occidental (et d'une cer-

---

1. *Le cinéma et l'imaginaire en Afrique noire, op. cit.*

taine manière contre lui), un renversement se produit au plan narratif : au critère d'efficacité narrative si communément répandu du côté de l'Occident se substitue le critère d'utilité discursive. Un bon film est d'abord un film utile, utile à la société qui le produit. Que le cinéma montre les rapports de l'homme à son territoire, l'apprentissage qu'il fait d'un espace déstabilisé, dont la réappropriation reste problématique, reproduit alors au plan symbolique les enjeux de la scène réelle. Par là il entend participer à l'instauration d'un nouvel ordre social continental.

Toutefois, à la faveur de cette légitimation idéologique une double légitimité n'est pas interrogée. Celle du postulat monstratif d'abord. Le principe de reconnaissance sur lequel il se fonde est-il réellement source de connaissance ? L'effet de transparence qu'il recherche ne passe-t-il pas d'abord par le recours à des codes filmiques convenus, c'est-à-dire issus d'un cinéma occidental, par ailleurs voué aux gémonies pour son pouvoir d'acculturation, ensuite par un processus d'illusion ? La forme assertive du discours filmique et sa force d'intimation ne produisent-elles pas un effet majeur de leurre sur le spectateur, invité à prendre l'image des objets et événements pour l'être-là de ces mêmes objets et événements ? Paradoxalement la sagesse traditionnelle africaine savait ne pas tomber dans le piège : le conteur, au moyen de formules plus ou moins ritualisées, ne prévenait-il pas son auditoire que tout ceci n'était qu'un conte ?

L'autre légitimité enfin relève de l'ordre spécifiquement cinématographique et esthétique. Au regard du cinéma en tant qu'art, en tant que moyen supérieur d'expression, au regard de son histoire mondiale et de la profusion de ses formes, un film utile est-il nécessairement un bon film ? N'y a-t-il pas dans le discours critique africain — celui des journalistes comme celui des réalisateurs eux-mêmes — un glissement : si l'utilité peut fonder une légitimité idéologique et faire élection, de ce point de vue, du bon objet culturel, elle ne saurait avoir valeur *ipso facto* de critère artistique. L'objet légitimé idéologiquement n'est pas nécessairement investi d'une légitimité cinématographique. L'oublier n'est-ce pas fermer la porte aux films non conformes, ceux qui ne font pas de la monstration leur finalité, qui tentent d'inventer de nouvelles formes discursives, c'est-à-dire de nouveaux rapports au monde et à l'ordre social ?

BIBLIOGRAPHIE

OUVRAGES GÉNÉRAUX

BA (Amadou Hampâté). — *Petit Bodiel*. Abidjan-Dakar, Nouvelles Editions Africaines, 1976.

BARTHES (Roland). — « L'ancienne rhétorique, aide-mémoire », *Communications*, 16, Seuil, 1970, pp. 172-229.

BOURNEUF (Roland) et OUELLET (Réal.). — *L'univers du roman*. Paris, P.U.F., 1972. L'espace, pp. 96 à 123 (SUP).

Collectif. — *L'espace et le temps d'aujourd'hui*. Paris, Seuil, 1983 (Points).

DALLENBÄCH (Lucien). — *Le récit spéculaire*. Paris, Seuil, 1976 (Poétique).

DUCROT (Oswadl) et TODOROV (Tzvetan). — *Dictionnaire encyclopédique des sciences du langage*, Paris, Seuil, 1972, 1re édition.

DURAND (Gilbert). *Les structures anthropologiques de l'imaginaire*. Paris, Bordas, 1969, 9e édition, 1982.

GREIMAS (A.-J.), COURTES (J.). — *Sémiotique, dictionnaire raisonné de la théorie du langage*, Paris, Hachette, 1980 (Hachette, Université).

HJELMSLEV (Louis). — *Prolégomènes à une théorie du langage*, Paris, Minuit, traduit du danois par Una Canger, 1976 (Arguments).

MARTINET (André). — *Eléments de linguistique générale*. Paris, 1961.

QUERE (Louis). — *Des miroirs équivoques, aux origines de la communication moderne*. Paris, Aubier, 1982 (Res., Babel).

Revue d'Esthétique, L'art instaurateur. Paris, U.G.E. 10/18, 1980/3-4.

CINÉMA

BELLOUR (Raymond). — *L'analyse du film*. Paris, Albatros, 1980, *(Ça/cinéma)*.

CHION (Michel). *La voix au cinéma*. Paris, Cahiers du Cinéma, Edition de l'Etoile, 1982 (Essais).

— *Le son au cinéma*. Paris, Cahiers du cinéma, Edition de l'Etoile, 1985 (Essais).

Collectifs. — « Cinéma et psychanalyse ». *Communications*, 23. Seuil, 1975.

— *Cinémas et réalités*. Saint-Etienne, CIEREC, Université, 1984.

DELEUZE (Gilles). — *L'image-mouvement* : Cinéma 1. Paris, Minuit, 1983.

— *L'image-temps* : Cinéma 2. Paris, Minuit, 1985.

EIZYKMAN (Claudine). — *La jouissance-cinéma*, Paris, U.G.E., 10/18, 1976.

FANO (Michel). — « L'attitude musicale dans Glissements progressifs du plaisir. » *Ça*, n° 3, 1974.

GARDIES (André). — « L'acteur dans le système textuel du récit », *Etudes littéraires*, cinéma et récit, vol. 13, n° 1, avril 1980, Presses Université Laval, Québec.

JOLY, (M.), SOULAS (S.). — « Réception du film et imaginaire du spectateur », *Hors-cadre*, L'image, l'imaginaire 4, Presses Université Vincennes, 1986, pp. 103-112.

KUNTZEL (Thierry). — « Savoir, pouvoir, voir », in *Analyses de films*, sous la direction de Raymond Bellour. Paris, Flammarion, 1980, pp. 161-172.

LAGNY (Michèle), ROPARS (Marie-Claire), SORLIN (Pierre). — *Générique des années 30*, Presses Université de Vincennes, 1986.

LEBEL (Jean-Patrick). — *Cinéma et idéologie*. Paris, Editions Sociales, 1971 (NC, les essais de la nouvelle critique).

MARIE (Michel). — « Description/analyse : propositions méthodologiques pour la description des textes », *Ça/Cinéma*, n° 7-8, 1975, pp. 129-155.

METZ (Christian). — « Le dire et le dit au cinéma », *Communications*, n° 11, 1967.

— *Le signifiant imaginaire*, 1re édition. Paris, U.G.E. 10/18, 1977.

NOGUEZ (Dominique) (sous la dir. de). — *Cinéma : théorie, lectures*. Klincksieck, 1973.

ODIN (Roger). — « L'entrée du spectateur dans la fiction », *in : Théorie du film*, sous la direction de Jacques Aumont et Jean-Louis Leutrat. Paris, Albatros, 1981 *(Ça Cinéma)*, pp. 198-213.

SORLIN (Pierre). — *Sociologie du cinéma*. Paris, Aubier, 1977 (Aubier Histoire).

SOURIAU (Etienne). — *L'Univers filmique*, Paris, Flammarion, 1954.

ESPACE

AUMONT (Jacques). — « L'espace et la matière » in *Théorie du film*, Albatros, 1980, pp. 9.-20.

BACHELARD (Gaston). — *Poétique de l'espace*. P.U.F., 1957.

BERTRAND (Denis). — *L'espace et le sens*, Germinal d'Emile Zola. Paris, Ed. Hadès-Benjamins, 1985 (Actes sémiotiques).

COLIN (Michel). — « Interprétation sémantique et représentations spatiales dans la bande-image ». *Iris*, mai 1986.

Collectif. — *Les espaces romanesques*. Publications de l'Université de Picardie, P.U.F., 1978.

— *Sémiotique de l'espace*. Paris, Denoël-Gauthier, 1979 (Médiations).

Communications, n° 27. — « Sémiotique de l'espace », Paris, Seuil, 1977.

— n° 41, « L'espace perdu et retrouvé », Paris, Seuil, 1985.

Groupe 107 (M. Hanmad, M. Miaille, E. Provoost...). — *Sémiotique de l'espace*. Paris, DGRST, 1973.

ISSACHAROFF (Michael). — *L'espace et la nouvelle*. Paris, Corti, 1976.

KAUFMANN (Pierre). — *L'expérience émotionnelle de l'espace*. Paris, J. Vrin, 1983 (5e éd.), (1re édition, 1967).

LEFEBVRE (Henri). — *La Production de l'espace*. 2e éd., Paris, Anthropos, 1981.

MATORE (Georges). — *L'espace humain*. Paris, La Colombe, 1962.

MITTERAND (Henri). — *Le discours du roman*, en particulier "Le lieu et le sens : l'espace parisien dans *Ferragus*" de Balzac. » Paris, P.U.F., 1981 (P.U.F. écriture).

MOLES (Abraham). — *Psychologie de l'espace*. Paris, Castermann, 1972.

PANKOW (Gisela). — *L'homme et son espace vécu*. Paris, Aubier, 1986.

PANOFSKY (Erwin). — *La perspective comme forme symbolique*. Paris, Minuit, 1976.

PIAGET (Jean). — *La représentation de l'espace chez l'enfant*. Paris, P.U.F., 1948.

ROHMER (Eric). — *L'organisation de l'espace dans le « Faust » de Murnau*. Paris, U.G.E. 10/18, 1977.

SAMI (Ali). — *L'espace imaginaire*. Paris, Gallimard, 1982 (Tel).

SCHEFER (Jean-Louis) (sous la dir. de). — *Scénographie d'un tableau*. Seuil, 1969 (Tel Quel).

UBERSFELD (Anne). — *L'espace théâtral*, Paris, C.N.D.P., 1979.

WINNICOTT (Donald Woods). — *Jeu et réalité, l'espace potentiel* (trad. franç., Gallimard, 1976).

YUSEL (Thasin). — « Le récit et ses coordonnées spatio-temporelles », *Actes sémiotiques* IV, 35. 1982.

ZEITOUN (J.). — *Semiotique de l'espace*. Paris, Denoël-Gonthier, 1979.

SÉMIOTIQUE - NARRATOLOGIE

AUMONT (Jacques). — « Points de vue : l'œil, le film, l'image.» *Iris*, vol. 1, n° 2, 4ᵉ trimestre 1983.

AUSTIN (Jean-Louis). — *Quand dire, c'est faire*. Seuil, 1970 (L'ordre philosophique).

BAILBLE (Claude). « Un dispositif parmi d'autres », *in Du cinéma selon Vincennes*. Paris, Lherminier, 1979, pp. 27-66.

BAL (Mieke). — *Narratologie :* les instances du récit. Paris, Klincksieck, 1977.

BARTHES (Roland). — « Introduction à l'analyse structurale des récits » *in Poétique du récit*. Paris, Seuil, 1976 (Points).

— *S/Z*. Paris, Seuil, 1976 (Points).

BENVENISTE (Emile). — *Problèmes de linguistique générale*, t. I et II. Paris, Gallimard, 1974.

BOUDON (Pierre). — *Introduction à une sémiotique des lieux*. Presses Universitaires de Montréal, Klincksieck, 1981.

BREMOND (Claude). — *Logique du récit*. Paris, Seuil, 1973 (Poétique).

— « Le message narratif » *Communications*, n° 4. Seuil, 1964, pp. 4-32.

CHATEAU (Dominique). — *De la fiction*, Essai. Paris, inédit.

— « La sémantique du récit », *Sémiotica*, n° 18, 3. Mouton Publishers, 1976, pp. 201-216.

CHATEAU (D.), GARDIES (A.), JOST (F.) (sous la dir. de). — *Cinémas de la modernité : films, théories*. Paris, Klincksieck, 1981.

Collectif. — *Poétique du récit. Paris*, Seuil, 1977 (Points).

— *Sémiologie de la représentation*. Bruxelles, Editions complexes, 1975 (Creusets).

Communications. — Le vraisemblable, n° 11. Seuil, 1970.

CUCCU (Lorenzo), SAINATI (Augusto) (sous la dir. de). — *Il discarso del film :* visione, narrazione, enunciazione. Rome, Edizioni scientifiche italiane, 1987.

DUCROT (Oswald). — « Analyses pragmatiques », *Communications*, n° 32 : Les actes du discours. Seuil, 1980.

ECO (Umberto). — *L'œuvre ouverte*. Paris, Seuil, 1965 (Pierres vives).

— *Lector in fabula*. Paris, Grasset, 1985.

— « James Bond : une combinatoire narrative », *Communications*, n° 8, 1966.

— *La structure absente*. Paris, Mercure de France, 1972 (traduction française).

FANO (Michel). — « Le son et le sens » *in Cinémas de la modernité* : films, théories. Paris, Klincksieck, 1981, pp. 105-122.

GARDIES (André). *Approche du récit filmique* Albatros, 1980 *(Ça Cinéma)*.
— « Un autre versant de la communication : le texte artistique, *Cahiers du séminaire de philosophie*, Philosophie de la communication, n° 5, 1986. Université des Sciences Humaines de Strasbourg, pp. 81-100.
— *Le cinéma de Robbe-Grillet*, essai sémiocritique. Paris, Albatros, 1983 *(Ça Cinéma)*.
— « Fonctions narratives du bestiaire dans "Los Olvidados" de Luis Bunuel et "Touki-Bouki" de Djibril Diop Membety », *Recherches Ibériques et Cinématographiques*, n° 6, mai 1986. Université des Sciences Humaines de Strasbourg, pp. 67-84.
— « Fonctionnement textuel et plus-value sémantique » *Communication audiovisuelle*, n° 4. Abidjan, CERAV, Université Nationale, pp. 75-83.
— « Le su et le vu », *Hors-cadre*, cinénarrable 2. Presses Université de Vincennes, 1984, pp. 45-66.
— « Le pouvoir ludique de la focalisation », *Protée*, vol. 16, n° 1-2. Université du Québec à Chicoutimi, 1988.

GAUDREAULT (André). — « *Narrator* et narrateur », *Iris*, mai 1986.
— *Récit scriptural, récit théâtral, récit filmique : prolégomènes à une théorie narratologique du cinéma*. Thèse de 3ᵉ cycle, Université Paris III, DERCAV, 1983.

GENETTE (Gérard). — *Figures III*, Paris, Seuil, 1972 (Poétique).
— *Nouveau discours du récit*. Paris, Seuil, 1983 (Poétique).

Groupe d'Entrevernes. — *Analyse sémiotique des textes*. Lyon, Presses Universitaires de Lyon, 1979.

HAMON (Philippe). — *Introduction à l'analyse du descriptif*. Paris, Hachette, 1981 (Hachette Université).
— « Le Savoir dans le texte ». *Revue des Sciences Humaines*, 1975, n° 4, pp. 489-499.

HENAULT (Anne). — *Les enjeux de la sémiotique*. Paris, P.U.F., 1979.

JOST (François). — « Focalisations cinématographiques : De la théorie à l'analyse textuelle », *Fabula*, 4. Presses Universitaires de Lille, 1984.
— *L'œil-caméra, entre film et roman*. Presses Universitaires de Lyon, 1987.

LAGNY (M.), ROPARS-WUILLEUMIER (M.-C.), SORLIN (P.). — « Le récit saisi par le film », *Hors-cadre*, Cinénarrable 2. Presses Université de Vincennes, 1984, pp. 99-124.

LOTMAN (Iouri). — *Esthétique et sémiotique du cinéma*. Editions Sociales, 1977 (E.S. ouvertures).
— *La structure du texte artistique*. Paris, NRF, Gallimard, 1975 (Bibliothèque des Sciences Humaines).

METZ (Christian). — *Essais sur la signification I*. Klincksieck, 1971.
— *Essais sur la signification II*. Klincksieck, 1972.
— *Langage et cinéma*. Larousse, 1977.

ODIN (Roger). — Pour une sémio-pragmatique du cinéma », *Iris*, vol. 1, n° 1, 1983, pp. 67-82.

PEIRCE (Charles S.). — *Ecrits sur le signe*, rassemblés, traduits et commentés par Gérard Deledalle. Paris, Seuil, 1978 (L'ordre philosophique).

PROTÉE 3, Sons et narrations au cinéma, vol. 13, n° 2, été 1985. Université du Québec, Chicoutimi.

RECANATI (François). *La transparence et l'énonciation*. Paris, Seuil, 1979 (L'ordre philosophique).

ROPARS-WUILLEUMIER (Marie-Claire). — *Le texte divisé*. Paris, 1981 (P.U.F. écriture).

SCHEINFEIGEL (Maxime). — *La narration de « Borom Sarret »*, Mémoire de maîtrise, sous la direction de Michel Marie. DERCAV, Paris III, 1978, ronéoté.

TROUBETZKOY (N.-S.). — *Principes de phonologie*, traduction française, Paris, 1957.

AFRIQUE ET CINÉMA AFRICAIN

AGECOOP-Liaison, 64/65, le cinéma africain. Paris, mars-avril 1979.

ALLOULA (Malek). — *Le Harem colonial*. Paris, Garance, 1981.

D'ALMEIDA (Francisco Ayi d'). — *Dépendance, développement culturel et cinéma : les conditions d'émergence de cinématographies nationales africaines*, thèse de troisième cycle. Paris, IEDES, Université de Paris I, 1982.

Anonyme. Ceddo ou le poids d'une mystification, *Peuples Noirs-Peuples Africains*, 12. Paris, novembre-décembre 1979.

AUBERT (Alain). — *Place au nouveau cinéma africain*. Paris, Secrétariat d'Etat aux Affaires Etrangères, 1970.

AVRON (Dominique). — Au ciné-Oubri à Ouagadougou, *Melba*, 3. Paris, avril-mai 1977, pp. 9-10.

AZIZA (sous la dir.). — *Patrimoine culturel et création contemporaine en Afrique et dans le monde arabe*. Dakar-Abidjan, Nouvelles Editions Africaines, 1977.

BA (Amadou Hampâté). — Le dit du cinéma africain, *Premier catalogue sélectif*, Paris, UNESCO, 1967.

— *L'étrange destin de Wangrin*. U.G.E. 10/18, 1977.

BACHY (Victor). — La distribution cinématographique en AN, *Filméchange*, 15. Paris, été 1981.

— *Le cinéma en Côte-d'Ivoire*. Bruxelles, OCIC/L'Harmattan, 1983.

— *Le cinéma en Haute-Volta*. Bruxelles, OCIC/L'Harmattan, 1983.

— *Le cinéma au Mali*. Bruxelles, OCIC/L'Harmattan, 1983.

BINET (Jacques). — Apport et influence du cinéma négro-africain, *Diogène*, 110. Paris, 1980, pp. 72-89.

— L'argent dans les films africains. *L'Afrique littéraire et artistique*, 43. Paris, 1er trimestre 1977.

— Classes sociales et cinéma africain, *Positif*, 188. Paris, décembre 1976. Temps et espace dans le cinéma africain, *id.*, 198, octobre 1977. Le sacré dans le cinéma négro-africain, *id.* 235, octobre 1980.

— « Les structures des films », *Cinémaction* 26, Cinémas noirs d'Afrique.

— La place du héros. Cinémas noirs d'Afrique, *op. cit.* Paris, 1983.

BOUGHEDIR (Farid). — Eléments pour une théorie du cinéma africain, *Dérives*, 3/4. Montréal, janv.-avril 1976.

— Le cinéma en Afrique et dans le monde, *Jeune Afrique Plus*, 6. Paris, avril 1984.

— *Un quart de siècle de cinéma en Afrique : historique, économie et thématique des nouveaux cinémas du continent africain de 1960 à 1985*. Thèse de doctorat d'Etat. Paris X, 778 p. ronéotées, 1986.

BOULANGER (Pierre). — *Le cinéma colonial*. Paris, Seghers, 1975.

BOURRON (Yves). — Le cinéma africain, *Etudes*. Paris, février 1970.

CHERIAA (Tahar). — *Ecrans d'abondance ou Cinéma de libération en Afrique*. Tunis, SATPEC et Tripoli, El Khayala, 1977.

Collectif. — *Afrique Noire, quel cinéma ?* Colloque de Paris X, Nanterre, décembre 1981. Nanterre, Publication de l'Association du ciné-club de Paris X, 1983.

— *Camera Nigra. Le discours du film africain*. Bruxelles, OCIC/L'Harmattan 1984.

— Cinéastes d'Afrique Noire, *l'Afrique littéraire et artistique*, 49, et *Cinémaction*, 3. Paris, 1978.

— Les cinémas africains en 1972, *l'Afrique littéraire et artistique*, 20. Paris, 1972.

— Cinémas noirs d'Afrique, *Cinémaction*, 26. Paris, 1983.

— *Ecrivains, cinéastes et artistes ivoiriens*. Abidjan-Dakar, NEA, 1973.

— Sembène Ousmane, *Cinémaction*, 34. Paris, 1985.

— *Vingt ans après, le cinéma est-il possible ?*, Journées d'études du cinéma organisées par les cinéastes sénégalais associés. Exemplaires ronéotés, 1981.

DEVISSE (Jean). « Sur l'oralité : perplexités d'un historien », *Hors-cadre*, voix off 3. Presses Université de Vincennes, 1985, pp. 53-72.

Ecran, 30, où vont les cinémas africains ? Paris, novembre 1974.

FESPACO 1983, Actes du Colloque de Ouagadougou, 1983, Présence africaine, 1987.

GARDIES (André) (sous la dir.). - Description et analyse filmique : Touki-Bouki de Djibril Diom Mambety, *Communication*, 5. Abidjan, Université Nationale, 1982.

GARDIES (André). — « Le cinéma d'Afrique noire : vers une identité nationale », Communication au Colloque « Littératures d'identités ». Limoges, octobre 1986, actes à paraître.

— « Espace et narration dans *Kodou* », Communication au Colloque de l'ILENA « Arts, écritures, lectures », février 1984. Abidjan, Actes à paraître.

— Notes sur un festival, *Annales de l'Université*, série Lettres, t. 12. Abidjan, 1979.

— « Oralité et esthétique filmique », Communication au Colloque « Tradition orale et nouveaux médias ». Ouagadougou, février 1987, actes à paraître.

— « La parole en jeu, dans le Cinéma d'Afrique noire francophone », Communication au Colloque « Théâtralité des arts de la parole ». Limoges, octobre 1985, actes à paraître.

— La perversion d'un genre : « Fad'jal » de Safi Faye, *Cinémas et réalités*. Saint-Etienne, CIEREC, Université, 1984.

— « 1981 : regards sur le VIIe FESPACO de Ouagadougou », *Cinémaction*, Cinémas noirs d'Afrique. L'Harmattan, n° 26, pp. 173-177.

— « L'espace dans la narration filmique : l'exemple du cinéma d'Afrique Noire francophone », thèse de doctorat d'Etat, Université de Paris VIII, septembre 1987.

GARDIES (André) et HAFFNER (Pierre). — *Regards sur le cinéma négro-africain*. Bruxelles, OCIC, 1988.

HAFFNER (Pierre). — L'adolescent africain et le cinéma. *Recherche, pédagogie et culture*, 68. Paris, avril-juin 1983.

— Le cinéma, l'argent et les lois. La situation du cinéma sénégalais en 1981, *Le Mois en Afrique*, 198-199 (première partie) et 203-204 (deuxième partie). Paris, mai 1982-janvier 1983.

— « Le cinéma et l'imaginaire en Afrique Noire », thèse doctorat d'Etat, Université Paris X, 1986.

— Les films de la différence à Ouagadougou. *Peuples Noirs-Peuples Africains*, 48. Rouen, novembre-décembre 1985.

— Le Nord et le Sud, *Le Mois en Afrique*, 182-183. Paris, février-mars 1979.

— *Palabres sur le cinématographe*. Kinshasa, les Presses africaines, 1978.

— Réflexions sur le cinéma et la parole : CEDDO, *Revue africaine de communication*, 1. Dakar, mars 1981.

— Situation du cinéma négro-africain, *Le Mois en Afrique*, 184-185. Paris, avril-mai 1981.

— Thématique. Cinéastes d'Afrique Noire, *op. cit.* Paris, 1978.

— Les traditions, le roman et le cinéma. Cinémas noirs d'Afrique, *op. cit.* Paris, 1983.

— *Essai sur les fondements du cinéma africain*. Dakar/Abidjan, NEA, 1978.

KAKOU (Antoine). — *Ceddo, lecture d'un texte filmique*. Publication ronéotée du CERAV, n° 50, Université d'Abidjan.

— *Lecture des textes filmiques de Sembène Ousmane* : Emblèmes et métaphores d'un conteur. Thèse de 3e cycle, Ecole des Hautes Etudes en Sciences Sociales, 1980.

KOMPAORE (Prosper). — « Le spectateur africain et le spectacle cinématographique. » *Revue du VIIe FESPACO*. Ouagadougou, 1981, pp. 17-19.

Monde Diplomatique, Ecrans d'Afrique, Paris, septembre, 1978 ; un bilan africain, mars 1979 ; marasme africain, septembre 1980 ; une Afrique sans fiction (Afrique anglophone), juin 1981.

MPUNGU (Mulenda). — « Avec les spectateurs du Shaba », pp. 137-154, *in Camera nigra*, le discours du film africain. Bruxelles : OCIC/L'Harmattan (Ça 1984).

N'DA (Pierre). — *Le conte africain et l'éducation*. Paris, L'Harmattan, 1984.

OUSSEINI (Inoussa). — La fiscalité cinématographique en Afrique Noire francophone, *Filméchange*, 17. Paris, hiver 1982.

OTTEN (Rick). — *Le cinéma au Zaïre, au Rwanda et au Burundi*. Bruxelles, OCIC/L'Harmattan, 1984.

PAULME (Denise). — *La mère dévorante*, essai sur la morphologie des contes africains. Gallimard, 1976 (Bibliothèque des Sciences Humaines).

PFAFF (Françoise). — *The cinema of Ousmane Sembene, a pioneer of African film*. Greenwood Press, Londres, 1984.

POMMIER (Pierre). — *Cinéma et développement en Afrique Noire francophone*. Paris, Pedone, 1974.

RAMIREZ (Francis) et ROLOT (Christian). — *Histoire du cinéma colonial au Zaïre, au Rwanda et au Burundi*. Tervuren, Musée Royal de l'Afrique Centrale, 1985.

ROPARS-WUILLEUMIER (Marie-Claire). — La problématique culturelle de la Noire de... *Colloque sur la littérature et l'esthétique négro-africaines*. Dakar/Abidjan, NEA, 1979, pp. 291-300.

ROUCH (Jean). — *Le cinéma d'inspiration africaine*. Paris, UNESCO, 1963.

SEMBENE (Ousmane). — Problématique du cinéaste africain, l'artiste et la révolution. Entretien réalisé par Tahar Cheriaa. *Cinéma-Québec*, 9-10. Québec, août 1974.

—   *Voltaïque, la Noire de...* Présence Africaine, 1971.

SYLLA dit ROUX (Dominique). — « *Le Cinéma en Afrique Noire francophone* ». Thèse de 3ᵉ cycle, Montpellier III, 1977.

Univers Vivant, 352, le cinéma d'Afrique Noire. Bruxelles, juillet-août 1984.

VIEYRA (Paulin Soumanou). — *Sembène Ousmane, cinéaste.* Présence Africaine, 1972.

VIEYRA (Paulin Soumanou). — *Le cinéma africain des origines à 1973.* Paris, Présence Africaine, 1969.

—   *Le cinéma au Sénégal.* Bruxelles, OCIC/L'Harmattan, 1983.

—   *Le cinéma d'Afrique.* Paris, Présence Africaine, 1969.

—   Entretiens réalisés par Pierre Haffner. *Peuples Noirs — Peuples Africains,* 37 à 40, 43. Rouen, 1984-1985.

YOUSSOUF ould BRAHIM (L.), « Tradition et théâtralité dans le cinéma nigérien », Communication au Colloque « Théâtralité des arts de la parole ». Limoges, 1985, actes à paraître.

ZADI (Bernard). — « Traits distinctifs du conte africain », *Revue de Littérature et d'Esthétique négro-africaines.* Ilena Abidjan, 1979, pp. 19-21.

INDEX DES FILMS

Lorsqu'un film fait l'objet d'un développement analytique, les références sont en italiques et indiquent la première et la dernière page du passage concerné

LM, N et B, Sénégal, 1966 ;
pp. 22, 32, 34, *47-51*, 63, 69, *70*,
107, 109, 124, 133, 167.
Notre Fille, Daniel Kamwa, LM,
couleurs, Cameroun, 1980 ;
pp. 37, 65, 120.
Le Nouveau Venu, Richard Bebey de
Medeiros, LM, couleurs, Bénin,
1976 ; p. 66, 124.

Pawéogo, Kollo Sanou, LM, couleurs, Burkina-Faso, 1983 ;
pp. 33, 64, 101.
Pétanqui, Yeo Kozoloa, LM, couleurs, Côte-d'Ivoire, 1982 ;
p. 124.
Poko, Idrissa Ouédraogo, CM, couleurs, Burkina-Faso, 1978 ;
pp. 33, 101.
Pour la suite du monde, Pierre Perrault, LM, N et B, Québec,
1965 ; p. 13.
Le Prix de la Liberté, Jean-Pierre
Dikongue-Pipa, LM, couleurs,
Cameroun, 1978 ; p. 65.

Le Retour d'un Aventurier, Mousta-
pha Alassane, MM, couleurs,
Niger, 1966 ; p. 104.
Rewo dande Mayo, Cheikh Ngaïdo
Bah, LM, couleurs, Sénégal,
1978 ; p. 155.

Safrana ou le droit à la parole, Sid-
ney Sokhona, LM, couleurs,
France-Mauritanie, 1978 ; p. 78.
Saint-Voyou, Alphonse Béni, LM,
couleurs, France-Cameroun,
1980 ; p. 154.
Saïtane, Oumarou Ganda, LM, cou-
leurs, Niger, 1973 ; pp. 11, 124.
Sarzan, Momar Thiam, CM, N et B,
Sénégal, 1963 ; p. 70, 83.
Silence et feux de brousse, Richard
de Medeiros, CM, couleurs,
Bénin, 1972 ; p. 68.
Si les cavaliers..., Mahamane
Bakabe, LM, couleurs, Niger,
1982 ; pp. 11, 38, 39, 65, 66.

Soleil O, Med Hondo, LM, France-
Mauritanie, 1969 ; pp. 64.
*Son nom de Venise dans Calcutta
désert*, Marguerite Duras, LM,
couleurs, France, 1976 ; p. 53.
Sous le signe du vodoun, Pascal Abi-
kanlou, LM, couleurs, Bénin,
1973 ; p. 58.
Suicides, Jean-Claude Tchuilien, LM,
couleurs, Cameroun, 1985 ;
p. 126.
Sur la dune de la solitude, Bassori
Timité, CM, N et B, Côte-
d'Ivoire, 1964 ; p. 129.

Les Tams-tams se sont tus, Philippe
Mory, LM, couleurs, Gabon,
1972. ; p. 65.
Touki-Bouki, Djibril Diop-Mambéty,
LM, couleurs, Sénégal, 1975 ;
pp. 22, 73, *74-76*, 91, 94, 109,
127-128, 130, 136, 156, 164, 165,
166, 168, 174.
Toula, Moustapha Alassane et Anna
Soehring, LM, couleurs, Niger,
1972 ; pp. 11, 40, 129, 155.

Visages de femmes, Désiré Ecaré,
LM, couleurs, Côte-d'Ivoire,
1984 ; p. 11

Water and Wilderness, Richard Ray-
ner, Zimbabwe, CM, couleurs,
1980 ; p. 45.
Le Wazzou polygame, Oumarou
Ganda, MM, couleurs, Niger,
1971 ; pp. 11, 60, 104, 120, *131*,
132.
Wend Kuuni, Gaston Kaboré, LM,
couleurs, Burkina-Faso, 1982 ;
pp. 38, 39, 40, 64, 130.

Xala, Sembène Ousmane, LM,
Sénégal, 1974 ; p. 124.

Yeleen, Souleymane Cissé, LM, couleurs, Mali, 1987 ; p. 109, 135,
136, 174.

TABLE DES MATIÈRES

———————— Achevé d'imprimer par ————————

GRAPHITYPE
z.a. avenue de Courcelles - 14120 Mondeville
dépôt légal : janvier 1989   *n° d'imprimeur :* 6610